Le visage
du Christ

Dans la même collection
« MONTRE-NOUS TON VISAGE »

C'est le Seigneur, par Mgr Jean-Charles THOMAS, évêque d'Ajaccio.

Une lecture des Evangiles de la Passion, de l'ensevelissement, des visites au tombeau ouvert et des apparitions du Christ Ressuscité, éclairée par la connaissance scientifique du Linceul de Turin et d'autres documents archéologiques.

Histoire ancienne du Linceul de Turin jusqu'au XIIIe siècle, par le Père A.-M. DUBARLE, Dominicain.

Une étude solide, la première aussi fouillée, des témoignages écrits concernant le Linceul de Turin, notamment avant le XIIIe siècle.

Autres livres de J.-J. Walter :
« L'Etoile des Sables » (Editions P. Belfond).
« Psychanalyse des rites » (Editions Denoël).
« Planètes pensantes » (Editions Denoël).
« Les machines totalitaires » (Editions Denoël).

© O.E.I.L., 1986
I.S.B.N. 2-86839-065-X

Jean-Jacques Walter

Le visage du Christ

RÉSULTATS SCIENTIFIQUES SUR LE LINCEUL DE TURIN

"Montre-nous ton visage"

O.E.I.L.

12, rue du Dragon
75006 Paris

PRÉSENTATION

Les Editions de l'O.E.I.L. et l'Association française «Montre-nous Ton Visage», créée dans le but de faire connaître le Linceul de Turin et de conduire à sa contemplation pour y mieux comprendre la mort et la Résurrection de JÉSUS de Nazareth, sont heureuses d'éditer ce livre d'un scientifique de profession qui n'a cessé de suivre les travaux conduits à travers le monde en vue de percer le secret du Linceul de Turin.

Nous l'avons voulu simple, lisible et compréhensible par le plus grand nombre de lecteurs. Une recherche exigeante de solidité l'a inspiré. Vous ne trouverez ici rien de ce qu'un esprit scientifique peut légitimement contester. Vous y découvrirez l'essentiel des conclusions sur lesquelles tombent d'accord les savants à l'heure actuelle.

En le lisant vous comprendrez mieux pourquoi ce vénérable tissu attire l'attention d'un grand nombre d'hommes, croyants ou incroyants, en raison des traces toujours inexpliquées dans leur processus de formation, qu'il laisse voir en négatif photographique. Vous suivrez la patiente enquête de Jean-Jacques Walter qui s'efforce de ne rien laisser dans l'ombre, de ne rien affirmer avant de donner des arguments valables.

C'est alors que la meilleure explication actuelle et traditionnelle vous apparaîtra lentement : ce linge a servi pour la sépulture d'un crucifié célèbre dont parlent les Evangiles. Libre à vous de mettre en doute cette solution si vous pensez qu'une autre répond mieux à toutes les données de l'histoire, de l'archéologie et de la science.

Mais si la conclusion de l'auteur vous semble fiable, vous serez conduits à la question : qui était donc cet homme prestigieux ? Et si nous avons de très bonnes raisons pour le croire Fils de Dieu, n'a-t-il aucune question à nous poser par-delà le mystère de son Linceul ?

Je vous laisse à cette enquête et à la réflexion qu'elle ne manquera pas de susciter lorsque vous refermerez le livre de Jean-Jacques Walter.

Saint-Gilles-Croix-de-Vie, le 16 juillet 1984.

Mgr Jean-Charles THOMAS,
Evêque d'Ajaccio,
Membre fondateur de l'Association
« Montre-nous Ton Visage »,
1, rue de Staël, 75015 Paris.

LE SINDON
ET L'HISTOIRE

La cathédrale de Turin communique, par une sorte située dans l'axe du chœur, avec une chapelle surélevée. Dans cette chapelle se trouve une étrange relique enfermée dans un coffre d'argent doublé d'amiante. Il est bien rare que l'on puisse l'apercevoir : depuis le début du vingtième siècle, le public ne l'a vue qu'au cours de trois ostentions, en 1931, 1933 et 1978. Des spécialistes ont pu l'étudier en ces occasions, ainsi qu'en 1969 et en 1973. En 1978, des millions de personnes accoururent pour l'entrevoir quelques secondes, elle a suscité plus d'études scientifiques qu'aucune autre, sous tous les angles, palynologie, microscopie optique et électronique, tests aux infra-rouges, aux ultra-violets, microsonde électronique Castaing, recherches corrélatives en archéologie, en histoire de l'art, en histoire événementielle, reconstruction d'image à l'ordinateur, expérimentations microchimiques, travaux particuliers d'anatomie, etc.

Comment de présente cette relique, objet de tant d'efforts ? Une bande de lin de 4,36 mètres de long sur 1,1 mètre de large. Elle porte deux images d'homme, grandeur nature, l'une de face, l'autre de dos, couleur bistre léger. En tant qu'objet archéologique elle pose un certain nombre de problèmes intéressants.

Son nom, le Sindon, est d'origine incertaine. La plus vraisemblable est une déformation de la ville antique de Sidon, où étaient fabriquées des étoffes de ce type, comme on dit aujourd'hui du tulle pour indiquer un tissu fabriqué à l'origine à Tulle, ou de la mousseline pour le tissu créé à Mossoul. Ce mot Sindon, en grec, est couramment traduit en français par Linceul.

Comment est-il à Turin ? C'est le duc de Savoie, Emmanuel Philibert, qui l'y a apporté en 1578. La maison de Savoie avait alors conquis l'Italie du nord, et le roi de France était beaucoup plus puissant que la mosaïque de provinces et de cités indépendantes qui constituait l'Italie. Le duc pouvait craindre que le roi de France ne lui ôtât son duché par la force pour le réunir à la France. Il pouvait, en revanche, espérer conquérir l'ensemble de l'Italie et réunifier le pays sous son autorité, ce que sa maison réalisera trois siècles plus tard. C'est dans cette perspective que le duc transféra, en 1562, sa capitale de Chambéry en Savoie à Turin en Italie. Il transféra également ses biens les plus précieux, parmi lesquels le Sindon déposé dans la Sainte Chapelle de Chambéry. Il dut pour cela recourir à un artifice, car les Chambériens refusaient farouchement de perdre la relique.

La peste ravageait Milan. L'évêque de la ville, Charles Borromée, s'efforçait de lutter contre le fléau, sans grand succès. En désespoir de cause, il fit vœu d'aller vénérer le Sindon si la peste cessait, et la peste cessa. Le duc Emmanuel-Philibert saisit aussitôt l'occasion : l'évêque, âgé de quarante ans, était épuisé par sa lutte contre l'épidémie, le voyage à travers les Alpes, difficile, le prestige de Borromée, immense. Le duc expliqua aux Chambériens qu'il convenait d'éviter les fatigues du voyage à l'évêque en transportant la religue « provisoirement » en Italie du nord ; il promit « très sincèrement » de la ramener bientôt, « parole de souverain ». Les Chambériens ne revirent jamais le Sindon.

A Chambéry, dans la nuit du 3 au 4 décembre 1532, un incendie dévora la chapelle. Le Sindon fut sauvé d'extrême justesse, alors que le coffre d'argent qui le contenait commençait à fondre. Le linge, plié en 48 épaisseurs, fut partiellement brûlé. Un des coins fut détruit (voir figure 1). Des pièces furent cousues sur les parties manquantes.

Le Sindon avait été acquis le 22 mars 1452, à Genève, par Louis Ier de Savoie. Il le reçut de Marguerite de Charny, issue de la petite noblesse française. Elle le tenait de son mari, Hubert de Villersexel, comte de la Roche, auquel l'avaient confié les chanoines de la collégiale de Lirey, une petite ville de France située près de Troyes. En raison de la Guerre de Cent ans, ces chanoines avaient craint pour la sécurité de la relique.

Geoffroi Ier de Charny, porte-étendard du roi de France, était mort en couvrant le souverain de son corps, en 1356, à la bataille de Maupertuis, près de Poitiers. Cette même année, sa veuve, Jeanne de Vergy, donnait la relique à la collégiale qu'avait fondée son époux trois ans auparavant, en 1353.

Le Sindon y fut vénéré par d'innombrables pèlerins. Comme ceux d'aujourd'hui, ils voulaient garder un souvenir de leur pèlerinage. Les chanoines leur offraient donc de petits bas-reliefs de plomb, dont Antoine Legrand a retrouvé un exemplaire au musée de Cluny. On y voit, à côté des deux effigies de face et de dos, de petites marques. A ces endroits, le Sindon porte des brûlures circulaires. Elles sont la trace d'un incendie antérieur à celui de Chambéry. La disposition de ces brûlures indique qu'à l'époque du premier incendie, le Sindon était plié en 4 épaisseurs.

Où était le sindon avant Lirey ?

Jeanne de Vergy n'a pas dit de qui elle tenait la relique. Pour le savoir, il faut étudier les documents historiques qui subsistent. Le problème, c'est qu'il y en a beaucoup trop : Paolo Rica, un professeur italien qui enseigne l'histoire du christianisme à Rome, a identifié 43 sindons en circulation dans le monde chrétien avant la Renaissance. La plupart de ces documents reconnaissent décrire des

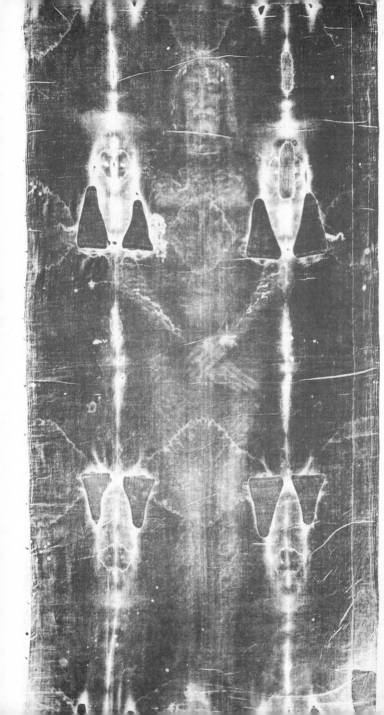

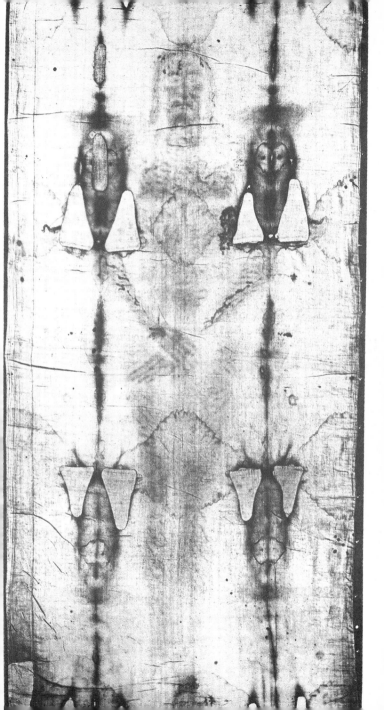

copies. Ils prouvent l'existence d'un original, sans que l'on puisse savoir où se trouvait cet original. D'autres documents, notamment les relations du voyage, ne précisent pas si le pèlerin a vu une copie ou l'original. D'autres encore assurent qu'ils concernent l'original, mais comment savoir s'il ne s'agissait pas d'une copie faite pour attirer les pèlerins, source de revenus importants l'époque.

L'un des sindons dont on a retrouvé la trace semble bien être celui dont tous les autres dérivent. Ce serait celui de Constantinople.

Un peu après 1080, l'empereur Alexis Ier Comnène, qui tentait de reconstituer la puissance de l'empire, affaibli par les guerres et une désorganisation intérieure, rédige une lettre demandant des secours. Il y mentionne la présence dans la ville *« des linges retrouvés dans la tombe après la résurrection »*. En 1171, l'empereur Manuel Comnène Ier reçoit Amaury Ier, roi de Jérusalem, et lui montre *« le sydoine où le Seigneur fut enveloppé »*. En 1201, Nicolas Mesaritis, conservateur des reliques du trésor impérial, fait état du *« sindon funéraire du Christ. Il est en lin, matériau bon marché et facile à obtenir, toujours dégageant une odeur de myrrhe, défiant le délabrement parce qu'il a enveloppé l'ineffable mort, nu, embaumé après la Passion »*.

Le sindon quitta Constantinople en 1204, lors du pillage de la ville durant la quatrième croisade. En effet, arrivés à Constantinople, les croisés, tentés par les richesses de la cité, oublièrent qu'ils devaient délivrer Jérusalem. Ils prirent la ville d'assaut, la mirent à sac, et répartirent les provinces de l'empire byzantin entre leurs chefs.

Un document conservé à la bibliothèque royale de Copenhague relate le voyage, en 1203 et 1204, à Constantinople, d'un chevalier picard, Robert de Clary. *« Il y eut, nous dit-il, un monastère qu'on appelait Madame Sainte Marie des Blachernes, où était le linceul où Notre Seigneur était enveloppé, lequel chaque vendredi se dressait tout droit, si bien qu'on pouvait voir la figure de Notre Seigneur, et ne sut jamais ni Grec ni Français ce que le linceul devint quant la ville eut été prise »*.

Ce texte indique qu'à l'époque, le Sindon faisait l'objet d'une ostension chaque vendredi. Au cours de l'ostension, il était dressé verticalement, probablement grâce à un système de cordes, par les prêtres byzantins, grands amateurs de machines théâtrales.

Le pillard ne se vanta pas de son pillage, mais il ne resta pas aussi inconnu que le dit Robert de Clary. Les croisés ne purent s'emparer que des provinces proches de la capitale. Les plus éloignées restèrent sous l'autorité de princes grecs, les Lascaris à l'Est, dans la région de Trébizonde, les Angelo Comnène à l'Ouest, en Epire. Ces princes connaissaient le voleur. Théodore Ange Comnène, le frère de Michel Ier qui devint roi d'Epire en 1204, écrivit l'année suivante une lettre au pape Innocent III pour réclamer le linceul volé. Le texte de cette lettre se trouve au feuillet 126 du cartulaire de Culis, dans le codex diplomatique de l'Ordre constantinien angélique de Sainte-Sophie. Une copie en a été faite par Benedetto d'Aquisto, théologien et byzantiniste qui, avant de devenir archevêque de Monréale, fut Grand Chancelier de l'Ordre de Sainte-Sophie de 1858 à 1866. Cette copie se trouve aujourd'hui au monastère Sainte-Catherine, à Forniello, près de Naples, où sont conservées des archives papales. Voici la traduction de cette lettre, rédigée en assez mauvais latin :

«A Innocent, seigneur et Pontife de la vieille Rome,

Théodore Ange, au nom de son frère Michel, seigneur d'Epire, et au sien propre, souhaite longue vie,

L'an dernier, au mois d'avril, détournée d'une prétendue libération de la Terre Sainte, l'armée croisée est venue dévaster la ville de Constantin. Au cours de cette dévastation, les soldats de Venise et de France se sont livrés au pillage des édifices sacrés. Dans le partage, les Vénitiens ont pris les trésors d'or, d'argent et d'ivoire; les Français ont pris les reliques des saints et la plus sacrée parmi elles, le linceul où fut enveloppé après sa mort et avant sa résurrection Notre Seigneur Jésus-Christ.

Nous savons que ces choses sacrées sont conservées à Venise, en France, et autres pays des pillards, le sacré linceul étant à Athènes.

15

Toutes ces dépouilles, en tant que choses sacrées, ne doivent pas être emportées : c'est contraire au droit légal et même divin. Cependant, au nom de Jésus-Christ, notre seigneur, et au tien, — bien que contre ta volonté ! — les barbares de notre temps les ont emportées.

La doctrine de Jésus-Christ, notre Sauveur, ne permet pas aux chrétiens de se dépouiller les uns les autres des choses sacrées. Qu'aux pillards soient donc abandonné or et argent, mais que nous revienne ce qui est sacré !

C'est pourquoi mon frère et seigneur a placé sa plus grande confiance en l'intervention de ton autorité : grâce à ton autorité la restitution ne peut manquer. Le peuple confiant attend ton action et toi, sûrement, tu l'exauceras. C'est la justice de Pierre qu'attend mon frère et seigneur Michel.

A Rome, aux calendes d'Août de l'an du Seigneur 1205 ».

La lettre datée de Rome indique que Michel Ier avait dépêché son frère, Théodore auprès du pape pour demander son intervention, mais la démarche fut vaine. Le pape n'avait guère de moyen d'action contre le pillard, un si haut seigneur que la lettre le désigne sans oser le nommer : après la prise de Constantinople, la ville et la région d'Athènes devinrent le duché d'Othon de La Roche, un des quatre chefs de la croisade. Il régna sur une partie de la Grèce, sous le titre de duc de Thèbes et d'Athènes; il transforma l'Acropole en château-fort, et bâtit devant l'entrée, une tour, la « *tour franque* » qui ne fut détruite qu'en 1879.

Rappelons qu'Othon de La Roche, immédiatement après la prise de Constantinople, avait caserné ses troupes aux Blachernes et y avait pillé divers trésors, dont deux croix reliquaires d'or (toujours propriété de ses descendants, au château de Ray, en Haute-Saône).

Les croix reliquaires d'une part, la lettre à Innocent III d'autre part indiquent que le Sindon a été pillé par Othon de La Roche à Constantinople, en 1204. Nous le retrouvons en 1356 à Lirey. Que s'est-il passé dans l'intervalle ? Les recherches historiques d'Antoine Legrand nous le disent : Une tradition orale consignée au XVIIIᵉ siècle dans le manuscrit 826 de la ville de Besançon — ville des de La Roche — affirme que le Sindon fut envoyé en 1208 par Othon à son père Ponce de La Roche; ce dernier le confia à l'archevêque de Besançon, Amédée de Tramelay, qui le déposa dans la cathédrale de la ville, l'église Saint-Etienne. Un incendie ravagea cette église en 1349. Un membre de la famille de Vergy, apparentée aux de La Roche, aurait sauvé la relique.

Cette tradition correspond exactement à ce que nous savons par les documents historiques : Ceux-ci indiquent que le Sindon fut pillé en 1204, à Constantinople, par Othon, et la tradition orale nous dit que la relique arriva en 1208 à Besançon, entre les mains de Ponce, père d'Othon. Cette tradition déclare qu'un Vergy emporta le Sindon de cette ville en 1349, et le documents historiques montrent le sindon donné à la collégiale de Lirey en 1356 par une Vergy apparentée à Othon de La Roche, comme celui qui sauva la relique en 1349.

Une autre tradition orale, de la famille des comtes de Salverte, descendants des de La Roche, désigne un petit coffre de bois, toujours conservé par la famille en question, comme ayant contenu le Sindon pendant le transport d'Athènes à Besançon. Les dimensions intérieures de ce coffret, 37,5 cm sur 16,5 cm, correspondent exactement à celles du sindon plié en 96 épaisseurs, c'est-à-dire une fois de plus qu'à Chambéry. Il est donc vraisemblable que les deux traditions orales soient exactes. Le premier incendie qui a laissé des traces est celui de Saint-Étienne.

Avant 1204, quelques textes relatifs au Linceul ont pu être repérés avec plus ou moins de certitude. Le plus ancien, datant du second siècle, est l'Evangile selon les Hébreux. Il s'agit d'un Evangile dit apocryphe, c'est-à-dire d'un écrit dont l'origine n'a pas été suffisamment établie, et que, pour cette raison, l'Eglise ne place pas au nombre de ceux qui expriment la foi chrétienne. Cet apocryphe affirme «Le Seigneur, ayant donné le Linceul au serviteur du prêtre, alla vers Jacques et lui apparut».

Les textes certains n'indiquent la localisation à Constantinople qu'à partir de 1080. Avant, quelques textes très douteux font état d'une localisation à Jérusalem. Dans l'état actuel des recherches, l'histoire du Sindon avant 1080 reste hypothétique.

Ian Wilson a proposé l'idée selon laquelle le Sindon serait la célèbre image d'Edesse, qui représentait le visage du Christ. D'après Wilson, il s'agirait du Sindon plié de façon telle que seul le visage aurait été visible. Le Sindon aurait été transporté plié à Constantinople, et déplié dans cette ville. Cette hypothèse se heurte à une grave difficulté : le récit de Robert de Clary cité précédemment indique qu'il a vu le Sindon aux Blachernes et l'image d'Edesse au Boucoléon. Pour sauver l'hypothèse de Wilson, il faudrait supposer que l'image d'Edesse avait été copiée avant d'être dépliée, que cette copie avait été placée au Boucoléon, et que Robert de Clary disait improprement « image d'Edesse » pour « Copie de l'image d'Edesse ». Quant à l'image d'Edesse elle-même, elle aurait été placée aux Blachernes après avoir été dépliée, et Robert de Clary dirait « Sindon » pour « image d'Edesse dépliée ». C'est une supposition bien compliquée. Il est plus vraisemblable que l'image d'Edesse était un objet distinct du Sindon, peut-être une copie ancienne comme il en exista tant.

La tradition de Véronique.

Cette tradition, que l'on rencontre dans certains pays mais non dans tous, relate qu'une femme aurait essuyé avec un linge le visage du Christ portant sa croix. Pour l'en remercier, le Christ aurait imprimé l'image de son visage sur le linge. Cette tradition, ancrée en Occident est représentée dans les chemins de croix des églises, à la sixième station. L'Eglise ne l'a jamais déclarée véridique en tant qu'objet de foi mais elle en autorise la représentation dans les lieux de culte.

Cette tradition concernait à l'origine un portrait fait par un peintre. Vers 1050, ce portrait a été remplacé par l'impression du visage du Christ, et vers 1300 l'impression est dite effectuée pendant la montée au Calvaire. Il s'agit d'une légende pieuse et non d'un matériel historique. Sa diffusion indique cependant la conviction largement répandue, selon laquelle il existerait une image authentique du Christ.

L'iconographie.

Une autre source d'informations d'ordre historique est offerte par l'iconographie, c'est-à-dire par les peintures et les mosaïques. Antoine Legrand avait été frappé par l'air de famille de toutes les représentations du Christ à partir du VIe siècle environ.

C'est là une circonstance unique dans l'histoire des religions. Il n'en est pas de même pour Bouddha, pour Zoroastre, pour Lao-Tseu, pour Mahomet, etc., et il n'en a pas toujours été de même pour le Christ. Par exemple le Bon Pasteur de l'hypogée des Auréliens, à Rome, qui date du IIIe siècle, ou un dessin du IVe siècle, dans les catacombes de Commodilla, également à Rome, ne ressemblent pas au visage que nous connaissons aujourd'hui. De façon générale, saint Augustin écrivait que les portraits du Christ étaient «*innombrables de conception et de forme*» car «*nous ne connaissons pas son apparence*» (1).

Cet air de famille se retrouve sur le visage du Sindon. Cela incite à penser que c'est le Sindon, dont la présence est attestée antérieurement, qui, à partir du VIe siècle, a inspiré tous les artistes de la chrétienté. La raison pour laquelle le Sindon ne s'est pas imposé plus vite dans l'iconographie n'est pas connue. Peut-être simplement parce qu'aux premiers siècles de notre ère, les idées, les habitudes, les mœurs évoluaient plus lentement qu'aujourd'hui.

Sur la suggestion d'Antoine Legrand, Paul Vignon, un biologiste français a voulu étudier cette ressemblance de façon rigoureuse. Dans ce but, au lieu de se fonder sur l'air de famille, il a recherché des signes distinctifs, ceux que mentionnent les passeports sous la rubrique «*signes particuliers*». Il en a répertorié une quarantaine dont voici les quinze principaux : (2)

---

(1) De Trinitate, VIII, 4, 5.
(2) Paul Vignon, Le Suaire devant la science, l'archéologie, l'histoire, l'iconographie, la logique, Paris, 1939.

1) Un sillon horizontal à mi-hauteur du front.

2) Une ligne à deux angles droits, formant trois côtés d'un carré entre les soucils, à la racine du nez.

3) Une forme en V, juste sous le côté horizontal de la marque 2.

4) Une seconde forme en V, plus petite, à l'intérieur de la marque 2.

5) Le sourcil droit plus épais et plus haut que le gauche.

6) La pommette gauche très accentuée.

7) La pommette droite très accentuée.

8) La narine gauche plus large que la droite.

9) Une ligne marquée, verticale, entre le nez et la lèvre supérieure.

10) Une ligne très marquée, horizontale, sous la lèvre inférieure.

11) Un espace dégarni de barbe sous la partie droite de la lèvre inférieure.

12) La barbe à deux pointes.

13) Une large ligne transversale au-dessous de la gorge.

14) Les yeux très accentués, rappelant ceux d'une chouette.

15) Deux petites mèches de cheveux, partant de la raie au milieu de la tête, posées sur le front, tournées vers la droite.

Ces marques ne sont pas toutes présentes sur les portraits du Christ. Voici par exemple un relevé de Vignon sur des Christ en majorité Byzantins :

Saint Apollinaire Nuova (VIe siècle)	8 marques
Saint Pontien (VIIIe siècle)	8 marques
Nartex de Sainte Sophie (Xe siècle)	9 marques
Saint Angelo in Fornis (XIe siècle)	13 marques
Pantocrator de Daphni (XIe siècle)	11 marques
Cefalu (XIIe siècle)	14 marques

Au total, Vignon a examiné un peu plus de quarante représentations archaïques, en étudiant non seulement ces marques, mais toutes les tâches, toutes les ombres, tous les reliefs, tous les détails de l'image.

Les marques caractéristiques relevées par Vignon sont toutes présentes sur le Sindon; plusieurs sont dues aux mauvais traitements subis par la personne dont l'image est sur le Sindon : l'œdème du sourcil droit, la partie inférieure gauche du nez enflé, la grande déchirure de la pommette gauche qui donne l'impression qu'elle est accentuée, la touffe de barbe arrachée sous la partie gauche de la lèvre inférieure, notamment, sont les traces d'un supplice. Les petites mèches de cheveux au milieu du front sont, sur le Sindon, une traînée de sang. Le V entre les sourcils semble être un artefact dû au tissage.

Le fait que ces marques soient toutes présentes sur le Sindon, et que plusieurs ne soient compréhensibles qu'à partir du Sindon — par exemple le V entre les sourcils ou la mèche de cheveux au milieu du front — nous amènent à conclure que le Sindon est l'original qui fonde les caractéristiques particulières de l'iconographie du Christ.

Ce que l'histoire nous apprend de cet objet se résume en peu de mots : il remonte au premier millénaire de notre ère; son prestige était immense et l'image qu'il porte était tenue pour celle du Christ.

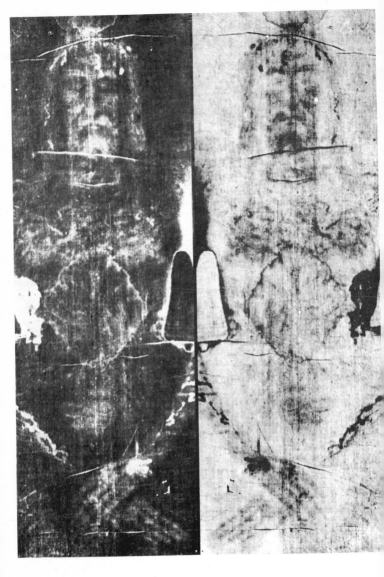

Le visage et les bras.

En négatif.

En positif.

CE QUE DIT
LE TISSU

L'examen du tissu apprend bien des choses, sur sa provenance, sur la religion probable de l'artisan qui l'a fabriqué, sur le statut social de ceux qui l'ont utilisé, sur certains des voyages faits par cette étoffe au cours de son histoire.

Le coton.

Au microscope, le professeur Raess y a décelé des traces de coton, de l'espèce Gossypium herbaceum, un cotonnier caractéristique du Moyen-Orient. Cet arbuste était originaire de l'Inde : on le trouve à Mœnjo-Daro, une très ancienne cité bâtie jadis sur la rive de l'Indus, en 2000 avant notre ère. Il a été introduit au Moyen-Orient par Sin-Shé-Eriba, un roi assyrien, en 701 avant notre ère. L'étoffe ne peut donc être antérieure à cette date.

Les traces de coton sont dues à un fait simple : le métier sur lequel le Sindon a été fabriqué avait servi à tisser du coton. Cela n'a rien de surprenant, car les métiers antiques servaient très longtemps, passant d'une fibre à une autre suivant la demande des clients ou la disponibilité des matières premières. Ce qui est surprenant, en revanche, c'est que l'on n'y trouve aucune fibre de laine. Il peut y avoir à cela deux raisons. Ou bien il s'agissait d'un métier presque neuf, qui n'avait pas encore eu l'occasion d'utiliser de la laine. Ou bien le tisserand était juif.

En effet, la Mishnah, c'est-à-dire le recueil des règles permettant de comprendre la manière d'appliquer les observances du Judaïsme, proscrit formellement le « *mélange des espèces* ». Elle se fonde sur un interdit du Lévitique : « *Tu n'accoupleras pas dans ton bétail deux bêtes d'espèces différentes, tu ne sèmeras pas dans ton champ deux espèces différentes de graines, tu ne porteras pas sur toi un vêtement en deux espèces de tissus* » (1).

Ainsi, aujourd'hui, lorsqu'un agronome veut greffer des abricotiers sur des amandiers dans un Kiboutz, il doit obtenir une dispense du rabbinat, car il y a mélange des espèces. Il est permis de joindre le lin et le coton, car ce sont tous deux des végétaux, alors que tisser la laine et le lin, ou les faire succéder sur le même métier, est formellement interdit.

L'absence de laine est-elle due à l'usage d'un métier neuf ou au judaïsme du tisserand ? Compte tenu de la durée d'utilisation d'un métier, et du temps nécessaire pour tisser une pièce, on peut évaluer une fourchette de probabilité pour que le tisserand soit Juif. Elle est très élevée, entre neuf chances sur dix et quatre-vingt-dix-neuf chances sur cent.

Les pollens.

Le tissu offre encore un autre indice précieux. Les pollens, emportés par le vent, s'accrochent aux fibres des tissus. Leur coquille est formée d'une matière très résistante, la sporopollénine. Elle est de loin la plus résistante des matières organiques, à tel point que des pollens du paléocène, il y a 60 millions d'années, sont parfois discernables. C'est dire que des pollens de quelques millénaires sont dans un état de conservation parfaite.

_____

(1) Lévitique, XIX, 19.

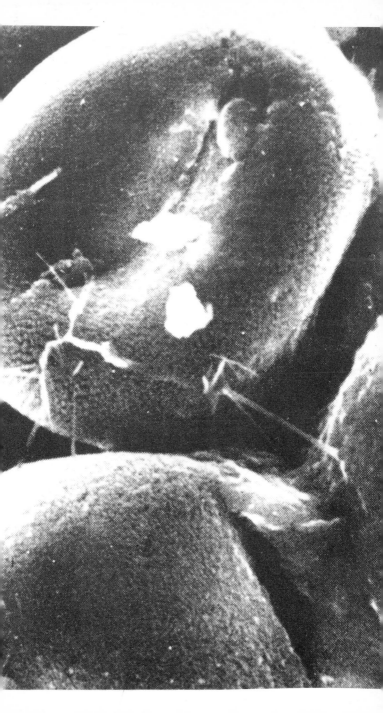

La forme des pollens change d'une plante à l'autre, exactement comme la forme des feuilles ou des fleurs. L'étude des pollens du Sindon a été faite par le docteur Max Frei, directeur du laboratoire scientifique de la police de Zurich. La palynologie, c'est-à-dire la science des pollens, lui permettait de reconnaître les lieux d'où provenaient les objets qu'on lui soumettait.

Le docteur Frei a identifié des pollens issus d'une soixantaine de plantes sur le Sindon. Parmi celle-ci, il y en a trois, les Tamarix, Suaeda et Artemisa, à la fois xérophiles et halophytes. Xérophiles signifie qu'elles aiment la sécheresse, et qu'elles vivent à la limite des déserts. Halophytes désigne les plantes qui vivent en terrain salé. Ces trois plantes ne vivent qu'en un seul lieu du monde : les bords de la mer Morte. Le Sindon a donc séjourné en ce lieu.

Un unique grain de pollen est caractéristique de la steppe anatolienne, d'autres viennent de la région de Constantinople, et d'autres encore de rivages Méditerranéens, sans qu'il soit possible de préciser lesquels.

Le blanchiment.

Un détail du tissu nous indique la date approximative à laquelle il a été fabriqué : c'est son mode de blanchiment. Il est possible de transformer le lin écru, de couleur brune, en lin blanc, soit en blanchissant les fibres avant de les tisser, soit en traitant le tissu. Le lin est assez délicat à tisser, car il ne s'étire que très peu, et le blanchiment le fragilise. Les métiers anciens ne permettaient pas de tisser la fibre blanchie. Ce n'est qu'à partir du Moyen Age que les techniques nécessaires ont été mises au point. Dans l'Antiquité, les tisserands étaient obligés de traiter le lin après l'avoir confectionné, ce qui laissait une signature : à la croisée de la chaîne et de la trame, chaque fil porte une petite tache brune, la couleur de l'écru que l'opération de blanchiment n'a pu atteindre dans la zone où un fil protège celui qui le croise. Il suffit d'écarter les fils avec une aiguille pour voir les traces caractéristiques.

Le Sindon porte ces traces. Il est donc antérieur au VIIIe siècle environ.

La valeur du tissu.

Le tissu a encore autre chose à nous dire. Combien de temps a-t-il fallu pour le fabriquer ? Les fils qui le constituent sont très fins : 140 microns de diamètre pour les fils de chaîne, et 250 pour les fils de trame. Il y a quatre mille trois cent fils sur la chaîne, et onze mille sur la trame. Le travail nécessaire à sa réalisation sur un métier manuel peut être évalué à partir des guides de tissage manuel destinés à l'artisanat. Le calcul est un peu faussé parce que les métiers manuels d'aujourd'hui sont beaucoup plus perfectionnés que les métiers verticaux qu'utilisaient les Hébreux. Il permet cependant d'obtenir un ordre de grandeur.

D'après le manuel de Pierre Ryall (1), l'un des meilleurs, il faut environ 125 heures de filage au fuseau pour les 19.000 mètres de fils de chaîne, et 80 heures pour les 12.000 mètres de fils de trame, soit 150 mètres de fils par heure. A cette cadence, il est difficile de tenir plus de 6 heures par jour. Ces chiffres sont très voisins de ceux qui furent effectivement réalisés, car le fuseau actuel est très proche du fuseau archaïque.

Avec les outils manuels d'aujourd'hui, l'ourdissage demanderait environ 80 heures de travail, et le tissage environ 40 heures. Pour ces travaux les outils manuels d'aujourd'hui sont bien meilleurs que ceux de jadis. Le coefficient correcteur à appliquer semble être compris entre 2 et 5. Cela conduit de 400 à 800 heures, c'est-à-dire deux mois et demi à cinq mois de travail, avec un petit supplément pour le blanchiment.

Prenons un point de comparaison : un tisserand était un ouvrier spécialiste, mais il y a avait des gens plus spécialisés que lui, les ciseleurs par exemple, et, d'autres moins, les ouvriers agricoles. Son équivalent aujourd'hui serait un homme qui aurait des gens plus spécialistes que lui, les ingénieurs, et d'autres moins, les manœuvres. Pour qu'il y ait équivalence, il faudrait que la proportion de

---

(1)Pierre Ryall, le tissage, Montbéliard, 1976.

la population plus spécialiste que le tisserand de jadis soit égale à celle qui est plus spécialiste que son équivalent d'aujourd'hui. En ce sens, l'équivalent du tisserand capable de fabriquer un tissu aussi fin et régulier serait aujourd'hui ce que l'on appelle dans l'industrie un P3. Selon les barèmes officiels, l'heure de travail d'un ouvrier de cette qualification est facturée 140 francs. Cela signifie que l'effort financier qu'il a fallu faire pour payer le tissu du Sindon est sensiblement équivalent à ce que représente, dans la France de 1986, une somme comprise entre 50.000 et 100.000 Francs. Ce n'était pas à la portée de tout le monde.

Ce tissu a été fabriqué dans l'Antiquité, aux premiers siècles de notre ère, au Moyen Orient, probablement par un Juif. A certains moments de son histoire, il s'est trouvé dans la région de Jérusalem, en Anatolie, au voisinage de Constantinople, et dans le bassin méditerranéen. A l'époque à laquelle il a été tissé, sa valeur était élevée.

L'IMAGE

Cette image floue en teintes brunes assez pâles ne paraît pas impressionnante au premier abord. A l'analyse, elle devient un taillis inextricable dont les méthodes scientifiques les plus évoluées n'ont pas encore réussi à venir à bout.

Une image étrange.

La première découverte surprenante a été faite en 1898 par le photographe Secondo Pia : elle est en négatif. Alors que l'image du Sindon est peu lisible, le négatif photographique de cette image est parfaitement clair. Ceci implique que l'image du Sindon est elle-même un négatif, de sorte que le négatif de ce négatif devient un positif, les reproductions des pages 11-12 le montrent.

La seconde propriété étrange de cette image ne peut-être mise en évidence que par un ordinateur : elle contient des informations tridimentionnelles. Le premier à le supposer fut Vignon :

« *Quelque chose a émané du corps et agi sur le drap. Et puisque les creux, sur le Saint Suaire, sont moins énergi-*

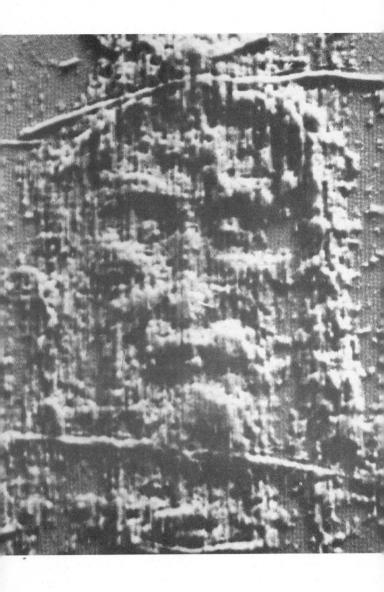

quement reproduits que les reliefs, il faut admettre que ce quelque chose travaillait avec une force décroissante à mesure qu'augmente la distance à laquelle le corps pouvait agir sur le linge» (1).

Pour mettre en évidence les informations tridimentionnelles, il faut construire une surface au-dessus du Sindon posé horizontalement. Cette surface doit être à environ un centimètre de hauteur au-dessus des points les plus foncés de l'image, et sur le Sindon lui-même au-dessus des points les plus clairs.

Cette opération a été faite pour la première fois en avril 1974, en France, par Paul Gastineau, sur une suggestion d'Antoine Legrand, puis répétée par Jackson, Jumper et Mottern aux États-Unis en 1976, et recommencée encore une fois par le professeur Tamburelli en Italie. Elle a toujours conduit au même type de résultat. Celui reproduit page 30 est dû à Gastineau. Par comparaison la même opération a été faite sur une photo. Les distorsions produites sur la photo sont très importantes, particulièrement là où les contrastes sont forts, par exemple le long du contour qui sépare le visage du fond. Il n'y a pas de distorsions de cette sorte sur l'image du Sindon.

La reconstruction en trois dimensions montre d'une nouvelle façon encore qu'il ne s'agit pas d'une peinture. Une couleur posée par un peintre peut en effet être plus ou moins diluée pour apparaître plus claire, mais elle ne peut-être plus intense que lorsqu'elle est employée pure. Dans les parties d'un tableau ainsi traitées, on dit que la couleur est saturée. Sur la reconstruction en trois dimensions, ces parties forment des plateaux horizontaux. Il n'y a aucun plateau de cette sorte sur la reconstruction tridimentionnelle du Sindon. C'est là une circonstance absente de toute peinture.

La quatrième propriété singulière de l'image a été découverte par Donald T. Lynn et Jean J. Lorre, du Jet

(1) Paul Vignon, Le Linceul du Christ, Paris, 1902.

Propulsion Laboratory, en utilisant un calculateur IBM 360/65 et les programmes de renforcement et de traitement d'image mis au point par la NASA pour tirer le meilleur parti des photos de Mars. Il s'agit d'une opération assez ésotérique, qu'il est cependant intéressant de préciser, car elle conduit à une conclusion importante.

Chacun a entendu le son produit par un disque usé. Au message musical se superpose un bruit de fond. Il est possible de mesurer séparément l'énergie du message et celle du bruit de fond. Quand l'énergie du bruit atteint le dixième de celle du message, l'intelligibilité baisse. Il existe des messages qu'il serait intéressant de connaître, mais qui sont noyés dans un bruit plus intense qu'eux-mêmes. Il est possible de les extraire du bruit qui les dissimule au moyen d'une méthode nommée l'auto-corrélation. Supposons qu'à la fin d'un concert, quand les applaudissements commencent, un flûtiste continue à jouer une note, à la fréquence de, mettons, 1000 par seconde. Si nous enregistrons dans la salle de concert pendant 1 seconde, nous pourrons découper cet enregistrement en 1000 tranches de chacune une milliseconde, et additionner ces tranches. L'addition n'a pas du tout le même effet sur le son de flûte et sur le bruit des applaudissements. Le bruit de fond donne un courant électrique tantôt dans un sens, tantôt dans l'autre, de sorte que l'addition des 1000 tranches donnera un résultat à peu près nul. Mais le son de la flûte est régulier, le même dans chacune des tranches, de sorte que chaque nouvelle addition le renforce un peu plus.

Naturellement, pour faire ainsi réapparaître le son de la flûte, il faut connaître sa fréquence. Si on ne la connaît pas, il faut s'armer de patience, et faire l'opération en supposant que la fréquence est 500 par seconde, puis 501, puis 502, etc. En arrivant à 1000, on entendra le son de flûte apparaître.

Ce processus a été inventé pour décrypter les messages qui s'expriment par une grandeur qui varie au fil du temps, mais il peut-être utilisé dans le cas d'une image spatiale. On trace une droite à travers l'image, on mesure la densité de l'image en chaque point de la droite, et on analyse cette répartition par la méthode exposée. Le processus est plus compliqué que pour un message temporel car il faut répéter l'analyse en chaque zone de l'image, et, en chaque zone, pour chaque direction.

L'intérêt de cette analyse vient de ce que toute création d'une image par un moyen manuel crée des fréquences spatiales préférentielles : les fils du pinceau, les irrégularités de la truelle à gouache, du fusain, de la craie, ou de tout autre moyen crée des microstries que l'analyse en fréquence fait ressortir aussi clairement que la note du flûriste noyée dans le tonnerre des applaudissements. Il n'y a que la photo, parce qu'elle fait apparaître l'image simultanément en tous point, qui ne crée pas d'orientation préférentielle dans la distribution des fréquences spatiales. Donald J. Lynn et Jean J. Lore ont analysé de cette manière la partie du Sindon où se trouve l'image du visage. Ils ont conclu que « *l'image est composée d'un large spectre de fréquences spatiales orientées aléatoirement. Ceci indique que le mécanisme de formation de l'image était isotrope : cette propriété exclut la formation par une application manuelle* ».

Isotrope signifie sans direction préférentielle. Les Grecs de l'Empire d'Orient ne disposaient pas d'ordinateurs pour procéder à une analyse de cette sorte, mais ils n'étaient pas démunis pour autant : la zone du cerveau qui procède à l'analyse des images visuelles constitue une extraordinaire machine à traiter l'information. Il suffit de comparer une photo et un dessin pour se rendre compte qu'il y a entre eux une différence nette, que l'on ne peut pas exprimer clairement, mais que l'on sent bien. Il faut les concepts de l'analyse moderne pour l'exprimer de façon rigoureuse, mais il suffit d'un coup d'œil pour la percevoir.

Les Grecs en avaient clairement conscience, et ne pouvant nommer « *la propriété qui exclut la formation par une application manuelle* », ils avaient appliqué au Sindon le terme « *d'acheiropoietos* » : non fait de main d'homme.

La coloration du Sindon.

L'image est formée par une coloration très superficielle des fils de lin. Seule la couche de fibrilles la plus extérieure de certains fils est teintée. Cette coloration ne pénètre pas à l'intérieur du fil, ni sur les côtés. A part la couche la plus superficielle, tout le fils reste blanc. La coloration est jaune paille, toujours de la même intensité sur les fibrilles colorées. La couleur plus ou moins intense en divers points du Sindon vient uniquement de ce que la proportion des fibrilles colorées par rapport à celles restées blanches varie d'un endroit à l'autre. En revanche, à l'endroit des taches de sang, l'agent colorant mouille le tissu, et le traverse même, en formant des marques à l'envers du Sindon là où se trouvent les blessures les plus importantes, notamment la plaie du côté. Ces taches ont quelque chose de particulier. Il suffit de faire tomber une goutte de sang ou d'encre sur un tissu pour s'en rendre compte. La tache s'étend aussitôt par capillarité le long des fils, en prenant l'apparence d'une petite croix dont les branches se dirigent dans la direction de la chaîne pour une branche, de la trame pour l'autre. Sur le Sindon, les taches sont des décalques exacts, qui ne manifestent aucune tendance à s'étendre en croix.

Certains de ces décalques, particulièrement sur le front, proviennent de gouttes de sang : une goutte de sang sèche de manière différente d'une goutte d'eau. L'eau s'évapore progressivement, de sorte que la forme bombée s'aplatit de plus en plus jusqu'à disparaître. Le sang, lui, passe graduellement de la forme bombée à une forme en cuvette, les bords plus élevés que le centre, et la coagulation se fait dans cette forme. La goutte de sang qui sur le front de l'image du Sindon se termine en coulée a la forme de cuvette. Cela prouve d'une part qu'il s'agit bien de sang, comme l'avait observé le docteur Pierre Barbet en 1950 (1), et d'autre part que le décalque s'est fait à partir de sang coagulé, et non de sang frais : la forme en cuvette est due au phénomène de coagulation. Une teinture ou une peinture ne peut coaguler, et donc prendre la forme en cuvette.

---

(1) Pierre Barbet, La passion selon le chirurgien, Paris, 1950.

Comment un caillot peut-il se décalquer ? Les expériences de Vignon l'ont montré : dans un caveau à atmosphère humide, la fibrine, qui donne sa solidité au caillot, se dissoud peu à peu. Le caillot passe de l'état dur à celui de pâte, puis tend vers l'état liquide. C'est quand 50 % environ de la fibrine est dissoute que le décalque se fait avec précision. Avant, le sang est dur et ne se transfère pas sur le linge. Après il forme des auréoles de capillarité qui brouillent la netteté des formes.

*
* *

D'autre recherches postérieures ont confirmé qu'il s'agit bien de sang : en 1978, des chercheurs des Etats-Unis ont examiné les propriétés spectrales du linceul; les conclusions les plus intéressantes ont été fournies par la reflectrométrie en lumière visible et en ultraviolet (1). Les zones tachées de sang contiennent de l'hémoglobine humaine, la coloration de l'image est due à une dégradation de la cellulose qui forme l'essentiel des fibres de lin, et la dégradation des fibres par la chaleur donne une réponse spectrale significativement différente de celle du Sindon. Ce dernier élément prouve que l'image du Sindon n'a pas été produite par la chaleur : si l'on fait roussir un tissu par échauffement, on obtient une coloration qui ressemble à celle du Sindon sans pourtant être identique.

La réflectrométrie est capable de mettre en évidence la différence de coloration même quand l'œil ne peut la percevoir : L'image du Sindon ressemble à un roussissement, mais elle n'est pas un roussissement. Cent mille heures de travail de chimistes ont été consacrées à élucider son processus de formation. Ces recherches ont permis d'écarter un grand nombre d'hypothèses inexactes, mais n'ont pas résolu le problème. Nous ne savons toujours pas comment l'image s'est formée.

*
* *

(1) R.A. Morris, L.A. Schwalbe et J.R. London, X-ray Fluorescence investigation of the Shroud of Turin, X-ray spectrometry, vol. 9; n° 2, 1980.

La microchimie a également été mise à contribution pour étudier les taches de sang (1). On commence par prélever de minuscules particules en appuyant un ruban collant semblable à du scotch sur le Sindon. Les particules prélevées sont examinées au microscope, puis on convertit les hèmes de l'hémoglobine en porphirine. Cette conversion chimique est obtenue par les actions successives d'un réducteur puissant, l'hydrazine pur; puis un acide, l'acide formique. Les quantités de matière en jeu sont si petites que les conversions chimiques sont obtenues par l'action de vapeurs.

Une fois les deux réactions réalisées, la particule est placée dans une chambre noire et éclairée en ultraviolet. S'il y avait du sang dans la particule, il s'est formé de la porphyrine, et celle-ci est fluorescente dans le rouge sombre. Ce protocole expérimental permet de déceler le nanogramme, c'est-à-dire le milliardième de gramme. Il a été appliqué au Sindon, et confirme qu'il s'agit bien de sang.

Une étude séparée a été conduite sur le fer qui se trouve en quantité relativement importante dans les taches de sang : 50 mg/dm^2 dans les plus gros caillots, ceux de la plaie du côté et du pied (2). Il y a du fer sur toute l'étendue du Sindon, la concentration variant entre 7 et 58 mg/dm^2, sans aucune corrélation entre la présence de fer et l'image : certains endroits où le lin est parfaitement blanc contiennent du fer, alors que d'autres, où le tissu est assombri par l'image, n'en contiennent pas. Ceci prouve que l'image ne peut être une peinture à l'oxyde de fer, comme cela a été envisagé. L'origine probable de ce fer est l'hémoglobine du sang, qui en contient, et qui s'est répandu sur la surface du linceul au cours des pliages et dépliages successifs. De toute façon, d'ailleurs, les concentrations mesurées par fluorescence X sont trop faibles pour produire une image, sauf si les particules de pigment avaient des dimensions inférieures au micron. De telles particules n'ont été préparées qu'au XIXe siècle.

(1) John H. Heller et Alan D. Adler, Blood on the shroud of Turin, Applied Optics, 15 Août 1980.
(2) S.F. Pellicori, Spectral properties of the Shroud of Turin, Applied Optics, 15 Juin 1980.

Il est impossible d'envisager une fabrication dans le haut Moyen Age avec un pigment fabriqué au XIXe siècle. Il est plus difficile encore de comprendre comment un faussaire du haut Moyen Age aurait pu réaliser une image en négatif, reconstructible en trois dimensions et sans fréquences spatiales préférentielles.

Les hypothèses inexactes.

Comment cette mystérieuse image s'est-elle formée ? Bien des hypothèses ont été avancées, l'action de vapeurs issues du corps, coopérant éventuellement avec de la myrrhe ou de l'aloès répandus sur le corps ou sur le tissu, ou l'action de la transpiration, ou même une sorte d'éclair produit par le corps pour une raison inexpliquée. Cet éclair aurait produit une brûlure légère semblable au roussissement d'un tissu que l'on approche d'un feu. Cela expliquerait le fait que la coloration de l'image ne touche que les fibrilles les plus extérieures de chaque fil. J'ai voulu vérifier cette hypothèse bien que la réflectométrie ait prouvé qu'il ne s'agissait pas d'un roussissement.

Je me suis procuré un tissu de lin semblable à celui du Sindon par la texture et par le poids au mètre carré, 200 grammes, je l'ai soumis à des éclairs laser dans le proche infra-rouge, à 1,06 micron de longueur d'onde. L'expérience a été faite avec les lasers les plus puissants du monde. Les densités de flux utilisées ont été successivement 11, 34, 40 et 63 joules au centimètre carré. Il n'a pas été possible d'aller plus loin : la lumière est une onde électromagnétique. Quand le faisceau devient très intense, le champ électrique de l'onde finit par être plus grand que celui qui retient les électrons autour des atomes d'oxygène et d'azote de l'air. L'air claque, comme disent les physiciens, et se transforme en plasma ionisé. Il est inutile d'envoyer plus de puissance : le plasma l'absorbe, et le tissu de lin ne reçoit rien de plus. Pour aller au-delà, il faut opérer dans le vide, mais le Sindon n'était certainement pas placé dans le vide quand l'image s'est formée.

Le résultat de ces essais a été surprenant : le lin, à cette longueur d'onde, réfléchit une partie de la lumière, et se laisse traverser comme une vitre par le reste. Il n'absorbe pratiquement rien. Il est resté d'une blancheur immaculée, même aux puissances où l'air claquait devant lui, et où une feuille de papier placée derrière lui était carbonisée par la lumière qui l'avait traversé. Même en répétant trois fois les impacts laser sur le même point, le résultat est resté le même.

Pensant que la longueur d'onde n'était pas la bonne, j'ai essayé la lumière visible, un rouge de 0,6 micron de longueur d'onde, en utilisant une puissance plus réduite pendant un temps plus long, j'ai été jusqu'à 200 joules par centimètre carré. Le résultat a été exactement le même que le précédant pour la même raison.

Je suis alors passé à l'infra-rouge lointain, sur 10 microns de longueur d'onde. J'étais sûr d'obtenir des brûlures : dans les laboratoires qui utilisent ce type de laser, les techniciens trouvent parfois amusant d'allumer leur cigarette avec un coup de laser. Les brûlures sont faciles à obtenir, mais le résultat dépend beaucoup de la puissance utilisée : la même énergie appliquée en 0,1 seconde, en 1 seconde ou en 10 secondes ne produit pas du tout le même résultat. De surcroît, même sur un tissu moderne, fabriqué à la machine, donc bien plus régulier que celui du Sindon, les traces n'ont pas une intensité proportionnelle à l'énergie reçue. J'ai mesuré le rapport entre la luminance de la trace et la luminance du tissu intact avec un luminancemètre Pritchard, modèle 1980, qui possède un champ de 2', ce qui donne un cercle d'analyse de 1,2 millimètre à deux mètres de distance. L'analyse a été faite en lumière naturelle, puisque c'est en lumière naturelle que l'on observe l'image du Sindon. L'éclairement était de 100 candéla au mètre carré, l'appareil était réglé sur un filtre photopique. Je ne donnerai que quelques valeurs pour montrer la dispersion des résultats sans fatiguer le lecteur par trop de chiffres : 4 watts au centimètre carré pendant 2 secondes ont produit un noircissement mesuré par un rapport de luminance de $0,270 \pm 0,02$, alors que la même puissance pendant trois secondes a donné le même résultat, à la précision des mesures près : $0,280 \pm 0,02$. De façon générale la dispersion des résultats est tout à fait incompatible avec les dégradés très progressifs et très réguliers d'image du Sindon.

Enfin, pour épuiser la question, j'ai fait l'analyse d'une image pyrolytique hypothétique. La loi de la réduction de l'intensité en fonction du carré de la distance n'est valable que si les dimensions de la source sont petites par rapport à celles qui séparent la source de lumière de l'objet illuminé. Si le corps avait par extraordinaire été une source lumineuse, ou si l'on avait utilisé une statue de métal chauffé sur laquelle on aurait drapé le Linceul, les dimensions de la source auraient été beaucoup plus grandes que la distance entre le corps ou la statue source et le drap cible. Dans un tel cas l'approximation à la loi de l'inverse carré ne vaut rien. Il faut faire une simulation à l'ordinateur pour savoir ce qui se passe. La conclusion est que l'image obtenue par ce procédé aurait eu un contraste très réduit, quelques pour-cents de différence entre les points les plus éclairés et les moins éclairés. Cela fait beaucoup moins que les différences produites par les irrégularités du tissu. L'image obtenue montrerait la répartition des irrégularités dans le tissu, et non la forme du corps émetteur.

Selon une autre hypothèse, proposée par Vignon, le corps aurait dégagé du carbonate d'ammonium, qui réagissant avec l'aloès utilisé comme aromate lors de l'ensevelissement, aurait provoqué un brunissement du tissu. Il est vrai que cette réaction de brunissement existe, mais il faut beaucoup plus de carbonate d'ammonium que le corps ne peut en dégager, et les vapeurs diffusent dans toutes les directions, de sorte qu'une telle réaction aurait produit une silhouette, mais non une image.

Une troisième hypothèse, proposée par Legrand, attribuerait la formation de l'image à l'action de la transpiration. D'après les expériences faites par Legrand, des taches sombres apparaissent trois ans après que la sueur ait imprégné un tissu de lin. D'autre part les cadavres laisseraient exsuder un liquide semblable à la sueur après la mort.

J'ai pu tester cette hypothèse en collaboration avec un hôpital. Des défunts ont été placés à 10 degrés, température probable d'un caveau souterrain. Ils ont été couverts de tissus de lin, les uns blanchis, les autres écrus. Les tissus ont été mis en place trois heures après le décès, et retirés trente heures après : c'est ce que les Evangiles disent à propos du Christ.

Après ce contact, les linges ont été placés dans une étuve à 58° centigrade, pendant un an. D'après Legrand en effet, les traces dues à la transpiration apparaissent après trois ans. Un an à 58° donne sensiblement le même vieillissement chimique qu'une quinzaine d'années à température ambiante.

Le résultat a été entièrement négatif. Il se peut que les corps des défunts exsudent du liquide, mais pas à 10°, dans les trente heures qui suivent la mort, en tout cas pas dans les limites de ces expériences. Celles-ci ont été faites en 1979, les linges ont été retirés de l'étuve en 1980, et il n'y a en 1986 pas la moindre trace, ni sur les écrus, ni sur les blanchis, pas plus sur ceux qui avaient été placés sur les mains que sur ceux placés sur le visage.

*
* *

Legrand a expérimenté avec de la sueur. Or les Nazis ont fait des crucifixions à Dachau. Les témoins disent que quelques minutes avant la mort, une sueur abondante couvrait le corps des malheureux. Comme je n'ai pas vu de transpiration sur les corps que j'ai recouverts de lin, il se peut que ce soit là le point crucial. D'ailleurs, il est probable que s'il suffisait de poser un tissu de lin sur un défunt pour qu'une image se forme, la chose aurait été notée depuis longtemps : ni la mort ni les linceuls de lin ne sont exceptionnels. En revanche, la crucifixion, et la transpiration qu'engendre cette agonie sont heureusement hors du commun. J'ai donc fait un essai en plaçant une toile de lin sur le visage d'un homme qui avait passé

40

deux heures à courir sous un soleil de plomb. Il y a de cela plus de trois ans, et aucune image n'apparaît. Si quelque chose finit par se montrer, ce ne sera certainement pas l'image aux dégradés si réguliers du Sindon : les taches de sueur avaient des bords francs. La fluidité et la tension superficielle de la sueur, qui sont sensiblement celles de l'eau, agissent de façon à supprimer les irrégularités de répartition. Ces irrégularités n'ont rien à voir avec le relief : ou bien il y a contact, et la sueur imprègne complètement le tissu en le traversant, alors que l'image du Sindon n'est formée que sur une face, ou bien il n'y a pas contact, et il n'y a de sueur que sous forme d'auréoles autour des points de contact. Autant que j'ai pu en juger, la densité de l'imprégnation m'a paru constante dans les zones mouillées, aussi bien là où il y avait contact que dans les auréoles autour des contacts. Les bords des zones mouillées étaient francs, sans traces de parties moins imprégnées sur les franges des auréoles. D'ailleurs s'il y avait eu une différence d'imprégnation non visible à l'œil nu, cette différence aurait produit une diminution en fonction de la distance horizontale au point de contact, et non pas en fonction de la distance verticale au corps qui se trouvait dessous. L'image n'aurait pas été reconstructible en trois dimensions.

* *
* *

Je n'ai fait intervenir l'aloès dans aucune des expériences auxquelles j'ai procédé. Certains lui attribuent un rôle parce que les Évangiles disent que le Christ fut enseveli avec un mélange de myrrhe et d'aloès d'environ cent livres, soit une trentaine de kilos. Cette quantité importante laisse penser qu'il ne s'agissait pas d'aloès médicinal (aloès soccotrin), mais d'aloès agaloche, un bois aromatique que les Juifs brûlaient lors des ensevelissements. Supposons cependant que ces aromates aient joué un rôle. Il fallait qu'ils se trouvent entre le corps et le tissu pour pouvoir intervenir dans leur interaction. Ils ne pouvaient être sous forme liquide, en solution huileuse, car les taches de sang auraient été diluées, ce qui leur aurait fait perdre leur netteté. Il fallait donc qu'ils fussent déposés sous forme d'une mince couche de poudre. De quelle épaisseur cette couche ? Assez mince pour ne pas empâter les reliefs. Certains sont extrêmement minces. La différence d'épaisseur entre le centre et le bord d'une goutte de sang de la taille de celle que l'on voit sur le front de la personne du Sindon est d'une fraction de millimètre. Pour que l'hypothétique couche de poudre d'aromate n'empâte pas un relief aussi faible, il fallait que la couche eût une épaisseur de l'ordre du dixième de millimètre; ce qui implique, pour qu'elle puisse être régulière, qu'elle soit formée de grains de quelques dizaines de microns de diamètre. Réaliser une poudre aussi fine demande des outils dont les hommes ne disposaient pas en ce temps-là. Particulièrement pour la myrrhe, qui est une gomme résineuse. Essayez donc de pulvériser finement une gomme. Vous verrez comme c'est facile ! A peu près comme de broyer un chewing-gum dans un mortier.

Supposons qu'ils y soient parvenus. Comment la répartir en couche aussi mince et régulière ? Serait-ce même le cas, la répartition ne pourrait pas rester régulière du fait de la pente variable selon les endroits. D'autre part, sur le dos, la poudre aurait dû être mise sur le tissu, et non sur le corps. Pourquoi l'effet aurait-il été le même ? Autour des pieds, il y a un indice, qui sera exposé ultérieurement, et qui montre qu'une bande de tissu, ou un lien, serrait le tissu contre les chevilles, en le plissant. Et cependant, la régularité de la répartition n'en aurait pas été troublée ?

Enfin, le professeur Frei a retrouvé les grains de pollen déposés depuis des siècles et restés pris dans les fils de l'étoffe. Comment n'aurait-il pas retrouvé aussi des traces de la poudre d'aromates ? Toutes ces raisons rendent fort peu vraisemblables l'intervention des aromates, aloès ou myrrhe, dans la formation de l'image.

*
* *

Pour qu'une hypothèse sur le processus de formation de l'image puisse être considérée comme satisfaisante, il faudrait l'appliquer pour obtenir une réplique du Sindon : l'image devrait être due à une décomposition partielle de la cellulose du lin, elle devrait donner la même réflectance en lumière visible et ultraviolette, elle ne devrait toucher que les fibrilles extérieures des fils, l'image devrait être en négatif, reconstructible en trois dimensions, sans plateau, et dépourvue de fréquences spatiales préférentielles. Aucun processus connu actuellement ne répond à cet ensemble de conditions.

A QUELLE NATION APPARTENAIT L'HOMME DU SINDON?

L'image est assez détaillée pour fournir un certain nombre d'indices. Puisque les fibrilles de coton prises dans le tissu indiquent une origine moyen-orientale, confirmée par les pollens, et que l'histoire perd la trace de ses origines au premier millénaire, cherchons à quelle nation appartenait l'homme du Sindon parmi celles de cette époque et de cette région.

Les mensurations de l'homme du Sindon ont été déterminées, d'une part par le professeur Cordiglia — 1,81 mètres et 77 kilos —, d'autre part par Jackson et Jumper, à Albuquerque. Ils ont reporté sur un tissu, à l'échelle 1, la trace de tous les points où le Sindon a été en contact avec le corps — le front, le nez, le menton, le poignet, les genoux, les pieds — et ils ont cherché un homme sur qui l'étoffe pouvait être drapée de façon à ce que les points de contact coïncident exactement avec les marques. Les résultats obtenus sont proches de ceux du professeur Cordiglia : 1,81 mètre et près de 80 kilos.

L'anthropologie n'est guère une science exacte, mais elle peut fournir, sinon des certitudes, du moins de fortes présomptions. À la demande d'Antoine Legrand, le professeur André Leroi-Gourhan utilisa les relevés de types humains du musée de l'homme, à Paris, en 1937, pour rechercher l'origine ethnique de l'homme du Sindon. A première vue le résultat est surprenant : le type physique le plus proche est celui des Yéménites, qui peuplent le sud-ouest de la péninsule arabique.

Cette région n'a connu ni invasion ni migration au cours de l'histoire des derniers millénaires, car elle est isolée du reste du monde par des grandes étendues désertiques dont la traversée est difficile. C'est pourquoi le peuple qui y habite a conservé ses traits originaires : Ceux des Sémites primitifs.

Comme au Yémen ne pousse pas le cotonnier de l'espèce herbaceum, et que les pollens de cette contrée ne se trouvent pas non plus sur ce tissu, cet objet ne vient pas du Yémen. Il est assez raisonnable de penser que l'étoffe et la personne qui y a laissé son image ont des origines géographiques assez proches, alors que la Judée et le Yémen sont séparés par 2.500 kilomètres, et surtout par des déserts. Pourquoi trouve-t-on sur le Sindon un type physique de cette sorte ? La raison plausible, sinon certaine, qui expliquerait pourquoi ses traits sont ceux des Sémites de race pure, quelque peu différents de ceux des populations plus mêlées du Moyen-Orient, est qu'il s'agirait d'une personne appartenant à une ligne noble. Celles-ci ont tendance à pratiquer l'endogamie, c'est-à-dire à se marier à l'intérieur d'un groupe restreint, ce qui leur conserve plus longtemps le type physique primitif.

A première vue, la taille indiquée par les mensurations peut sembler importante pour un homme de l'Antiquité, surtout du bassin méditerranéen, qui ont la réputation d'être de stature plus modeste. Cette taille est cependant courante chez les Sémites qui ont conservé le type primitif.

La coiffure offre des indices confirmant l'origine sémitique. Alors que les Romains portaient les cheveux courts et avaient coutume d'être imberbes, l'homme du Sindon avait une barbe à deux pointes et portait les cheveux longs rassemblés en une queue de cheval tombant jusqu'au bas des omoplates. Ceci est peut-être l'indice d'un nazirat. Les nazirs, c'est-à-dire les Juifs consacrés à Dieu, agissaient de façon spéciale avec leur chevelure : à l'époque archaïque, les nazirs se consacraient à Dieu pour toute leur vie, et ne coupaient jamais leurs cheveux. Au début de notre ère, la consécration était la plupart du temps provisoire, avec un minimum de 30 jours, et les nazirs évitaient de couper leurs cheveux et leur barbe pendant la durée de la consécration. Un Juif du premier siècle qui aurait consacré toute sa vie à Dieu aurait certainement porté le genre de coiffure que nous voyons sur l'image du Sindon. Mais la proposition ne peut être retournée : un Juif aux cheveux longs n'avait pas nécessairement consacré sa vie à Dieu, car cette coiffure était une mode assez courante chez les Juifs de l'antiquité.

L'homme du Sindon était un Juif antique, probablement issu d'une lignée noble, peut-être consacré à Dieu.

Traces de sang sur la face.

La forme en 3 renversé, au milieu du front, est due aux méandres causés par la contraction-réflexe, sous l'empire de la douleur, des muscles sous-cutanés.

Observer aussi les traces de sang sur les cheveux, traces qui supposent la présence d'un produit gras sur les cheveux.

COMMENT
EST-IL MORT ?

L'étude du Sindon sous l'angle médical et chirurgical a passionné un grand nombre de spécialistes, car l'image est d'une précision qui permet les reconstitutions les plus détaillées.

Les études décisives, qui ont reconstitué expérimentalement la plupart des sévices dont le Sindon porte la trace, ont été faites par le docteur Pierre Barbet, de l'hôpital Saint-Joseph à Paris (1). Des contributions ont été faites par les docteurs Hynek (2) de Prague, Hermann Moedder de Cologne, Vincent Donné, agrégé de Physiologie, et Metras, ces deux derniers de Marseille. Beaucoup d'autres spécialistes se sont penchés sur la question, mais leurs travaux n'ont fait que confirmer ceux de leurs devanciers.

---

(1) Pierre Barbet, La passion de Jésus-Christ selon le chirurgien, Paris, 1950.
(2) R. W. Hynek, Ce que le Saint Suaire de Turin dévoile à l'œil du médecin, Rivista dei giovani, 1933. Le martyre du Christ, Prague, 1935, puis Paris, 1937.

La crucifixion.

Le processus par lequel la crucifixion entraîne la mort avait été reconstituée avec vraisemblance par les docteurs Hynek et Moedder. Leurs hypothèses ont été confirmées de façon tragique par les crucifixions pratiquées par les nazis, à la fin de la Seconde guerre mondiale, dans le camp d'extermination de Dachau.

L'homme du Sindon est en effet mort, crucifié. Cette pratique, inventée par les Perses, introduite dans le bassin méditerranéen par Alexandre, adoptée par les Romains, était courante aux premiers siècles de notre ère. A l'origine, les Romains l'appliquaient aux esclaves et à des citoyens romains de basse condition. Cependant elle fut bientôt réservée à deux catégories de personnes.

D'une part les esclaves, et d'autre part ceux qui étaient convaincus de crime d'Etat, c'est-à-dire d'avoir mis en question l'autorité de Rome. Les généraux qui tentaient de prendre le pouvoir par la force et qui échouaient, les coupables de haute trahison ou de désobéissance majeure, les chefs ennemis vaincus, considérés en état de rebellion contre le pouvoir de Rome (selon les Romains il s'étendait de droit, par décret divin, à toute la terre), étaient passibles de crucifixion.

*
* *

La croix était formée d'un poteau nommé *stipes,* planté à demeure sur le lieu de l'exécution, et d'une traverse, le *patibulum.* Ce nom vient de patere, être ouvert, car les bourreaux utilisaient ordinairement pour le supplice une des traverses dont les Romains se servaient pour barrer leurs portes. Le condamné avait les bras liés sur cette traverse qu'on lui posait sur la nuque, et il était conduit, à coups de fouet, depuis le lieu où la sentence était prononcée jusqu'à celui de l'exécution. Les Romains n'admettaient en effet aucun délai entre le jugement et l'application de la peine.

La traverse n'était attachée au condamné que pour l'empêcher de se débattre pendant le trajet. Arrivé au lieu du supplice, il était détaché, couché les bras en croix sur la traverse, et fixé soit par des clous, soit par des cordes nouées aux poignets. Puis les bourreaux soulevaient la traverse et la hissaient sur le *stipes*. Le haut du *stipes* était aminci en tenon, et la traverse portait une mortaise en son milieu. Il y avait deux sortes de croix. La plus fréquente était la crux humilis, dont le *stipes* avait environ deux mètres de haut. Il suffisait aux bourreaux de soulever le patibulum à bout de bras pour engager le tenon dans la mortaise. Quand il s'agissait de condamnés célèbres, les Romains faisaient usage d'une crux sublimis, de quatre à cinq mètres de haut. Dans les deux cas, les pieds du condamné étaient cloués sur le *stipes,* de diverses manières. A Giv'ha Mivtar, près de Jérusalem, au cours de travaux, on a retrouvé les os d'un crucifié. Un clou de 17 centimètres de long traversait les deux calcanéums. Quand le bourreau ne tenait pas à faire subir des souffrances supplémentaires à la victime, il plantait le clou entre les os du métatarse.

*
* *

Les condamnés encloués mouraient plus vite que les encordés. Ainsi, Flavius Josèphe raconte que lors du siège de Jérusalem en 70, il vit un jour trois de ses amis juifs capturés, condamnés à la croix par les Romains. Deux furent encordés, le troisième encloué. Flavius Josèphe, qui avait des relations avec des Romains haut placés se mit immédiatement à leur recherche. Il passa la journée en démarches, et obtint la grâce de ses amis dans la soirée. L'encloué était mort, mais les deux encordés vivaient encore, et se rétablirent après avoir été libérés. Il est probable que l'hémorragie et surtout les souffrances dues aux clous hâtent la mort. Parfois les condamnés étaient crucifiés la tête en bas, comme le rapportent Eusèbe et Sénèque.

La mort par crucifixion.

Pourquoi les crucifiés mouraient-ils ? Le professeur Hynek est le premier à l'avoir expliqué. Il avait vu pratiquer l'anbinden, une punition spéciale à l'armée austro-hongroise. Les punis étaient attachés par les poignets à un crochet suffisamment élevé pour que seule la pointe de leurs pieds puisse toucher le sol. Ils ne restaient dans cette situation qu'une dizaine de minutes, mais cela suffisait pour produire de violentes crampes dans les avant-bras, puis les bras (1). Le docteur Mödder, à Cologne, a fait des essais avec de jeunes volontaires suspendus pendant quelques minutes par les bras, en mesurant en permanence la tension artérielle, et en surveillant le cœur par radioscopie et par électrocardiogramme. Les conclusions ont été hélas confirmées par les témoins de crucifixions perpétrées à Dachau par les Nazis. Legrand a recueilli et publié leur témoignage (2).

Le poids qui tire sur les bras bloque la cage thoracique en position d'inspiration maximum. La victime ne peut plus expirer pour rejeter l'air vicié qui remplit ses poumons, et s'asphyxie. Pour pouvoir reprendre souffle, elle doit effectuer une traction sur les bras, comme indiqué page 61. Les crucifiés de Dachau, dont les poignets étaient fixés par des sangles et dont les pieds étaient libres se soulevaient à la force des biceps pour renouveler l'air dans leur poitrine. Peu à peu, ils se fatiguaient, et leurs mouvements devenaient plus fréquents et moins amples. Quand ils voulaient accélérer leur mort, les Nazis leur fixaient des poids aux pieds.

Vers la fin de l'agonie, une sueur très abondante les couvrait soudain, ruisselant sur le sol à leurs pieds. Ils mouraient six minutes après.

*
* *

Les crucifiés romains pouvaient prendre appui sur leurs pieds cloués pour soulever leur corps et reprendre souffle. Le poids qui pesait alors sur la blessure des pieds

---

(1) Docteur Hynek, Le martyre du Christ, Paris, 1937.
(2) Antoine Legrand, in Médecine et Laboratoire, déc. 1952, Paris.

produisait une souffrance telle qu'ils devaient la soulager en se laissant pendre, mais une autre douleur les attendait aux blessures des mains. Alternant de l'une à l'autre, ils s'épuisaient peu à peu. Quand ils n'avaient plus la force de se soulever, ils mouraient asphyxiés.

Lorsqu'ils voulaient prolonger le supplice, les Romains plaçaient contre le *stipes* une sorte de selle en bois, le sedile. L'agonie durait alors deux ou trois jours. Lorsqu'ils voulaient la raccourcir, ils recouraient au «*crucifragium*», c'est-à-dire qu'ils brisaient les jambes du condamné à coups de gourdin. Celui-ci, qui n'avait plus la possibilité de se soulever sur ses jambes pour reprendre souffle mourait en quelques minutes.

D'après Saint Augustin, qui avait eu connaissance des dernières crucifixions romaines, «*aucune manière de mort violente n'était plus terrible que la mort sur la croix*».

La flagellation.

Avant d'être crucifié, l'homme du Sindon a subi une flagellation terrifiante : 80 coups ont laissé leur trace. Une femme, un adolescent, un homme de constitution moyenne en seraient morts. Seul un homme robuste peut survivre à 100 coups de fouet, ou plus. Les coups s'étendent sur tout le corps, les avant-bras exceptés, ils sont très fortement marqués sur la face dorsale, des épaules aux chevilles, les traces ont la forme de petits haltères de trois centimètres de long, indiquant que les lanières du fouet portaient un objet dur de cette forme. Elles sont groupées par deux : le fouet avait deux lanières, c'est-à-dire que l'homme du Sindon a reçu 60 coups de ce fouet double (voir pages 72 et 83).

Les avant-bras intacts montrent que le condamné était attaché par les poignets à un point élevé, sans doute pour l'empêcher de tomber. Ce point devait être sur une colonne ou sur un mur, qui a protégé la face avant du corps, mais seulement à partir de la taille : les bras levés et attachés au mur éloignent la poitrine du mur, de sorte qu'elle peut être atteinte par les extrémités des mèches du fouet, qui s'enroulent autour du corps après le coup, la poitrine est effectivement zébrée de blessures longues et minces. Les petits haltères indiquent chacun la direction de la lanière au moment du coup. Si l'on prolonge cette direction, on rencontre l'extrémité du manche du fouet. Ou de l'épaule du bourreau si le manche du fouet avait une direction qui prolongeait en ligne droite le bras du bourreau.

L'ensemble de toutes les droites que l'on peut tracer à partir des plaies en haltères forment deux groupes, chacun en éventail, les points de convergence étant en arrière de la victime, l'un à droite, l'autre à gauche, celui de droite étant un peu plus élevé que celui de gauche. Les plaies dues aux coups venus de droite atteignent tout le corps, alors que celles venues de gauche se limitent à la partie située au-dessus de la taille. Cela signifie ou bien qu'il y avait deux bourreaux, celui de droite un peu plus grand que l'autre, ou bien qu'un bourreau unique frappait avec un geste semblable à celui d'un joueur de tennis alternant les coups droits et les revers (voir dessin page 70).

C'est la seconde hypothèse qui est la bonne : il n'y a pas de raison pour que le flagellateur de gauche évite les jambes de la victime, alors que Legrand a obtenu une distribution semblable à celle du Sindon en fouettant de coups alternés droits et de revers un tronc d'arbre recouvert de carton ondulé. La reconstitution montre que si l'on tente de frapper de revers au-dessous de la taille, les lanières reviennent après le coup et atteignent l'avant-bras du flagellateur.

Les coups.

Malgré sa violence, cette flagellation n'est pas le seul sévice qu'ait subi l'homme du Sindon avant son exécution. Le visage porte les traces d'extrêmes brutalités. Une large déchirure triangulaire s'étend sous l'œil droit, de deux centimètres à la base, avec la pointe dirigée vers le nez, entre le tiers moyen et le tiers inférieur. A ce niveau, le nez est déformé, indiquant une fracture du cartilage dorsal tout près de son insertion avec l'os nasal.

Les deux arcades sourcilières, particulièrement la droite, sont tuméfiées et enflées. D'après le volume de l'enflure, la droite était probablement fendue. La joue gauche, la pointe du nez, la lèvre inférieure portent d'autres déchirures. Une touffe de barbe a été arrachée sous la partie droite de la lèvre inférieure. Les deux pommettes sont gonflées.

Les signatures de la crucifixion.

On appelle signature, par analogie avec l'inscription du nom qui authentifie un document, une trace physique dont on peut indiquer l'origine sans ambiguïté. La signature radar est ainsi la forme de l'écho, qui permet de distinguer un vol d'oiseau, un bombardier, un chasseur, un avion civil. La crucifixion laisse de multiples signatures.

Première signature : la tétanie.

Les muscles des crucifiés, alternativement ceux des bras et des pectoraux, puis ceux des jambes, devaient fournir un travail important alors que l'alimentation en oxygène était déficiente. Dans ces conditions, les muscles reviennent à un mode de fonctionnement très primitif de la matière vivante, celui des origines, il y a trois milliards d'années. A cette époque, il n'y avait que de l'azote et du gaz carbonique dans l'atmosphère. L'oxygène, qui s'est formée simultanément à la houille et au pétrole, par l'activité des végétaux, n'existait pas encore. Les êtres vivants de cette époque tiraient leur énergie de sucres accumulés dans les mers sous l'action des ultra-violets. Ne pouvant brûler ces sucres faute d'oxygène, ils les transformaient en acide lactique par fermentation.

Lorsque l'on demande à un muscle plus d'énergie qu'il n'en peut fournir grâce à l'oxygène qu'il reçoit, il augmente ses ressources en transformant le glucose en acide lactique, qui s'accumule dans les tissus. Si l'effort est de courte durée, le muscle demande après la fin de l'effort, plus d'oxygène qu'il ne lui en faut, et utilise l'excédent pour brûler une partie de l'acide lactique. L'énergie obtenue lui permet de retransformer le reste de l'acide lactique en glucose. C'est pourquoi nous sommes essoufflés après un effort bref et violent : le supplément d'oxygène obtenu par la respiration ample et rapide sert à se débarrasser de l'acide lactique.

*
* *

Si l'effort est plus prolongé, l'acide s'accumule dans les cellules musculaires et se fixe sur des sites cellulaires où sa présence perturbe l'activité vitale. Il en résulte des courbatures.

Si l'effort est encore plus prolongé, ces courbatures se transforment en crampes, c'est-à-dire en contraction anormale et permanente. Au-delà de ce stade, c'est la tétanie, un état qui se produit dans la maladie du tétanos, d'où son nom. C'est une crampe particulièrement violente, et très douloureuse. Les muscles tétanisés deviennent durs comme du bois, contractés au maximum possible.

La tétanisation de tous les muscles du corps est l'une des signatures de la crucifixion : celle-ci est à la fois épuisante et asphyxiante. Les bras et les cuisses montrent des saillies musculaires puissamment marquées, les pectoraux sont remontés en boule vers les clavicules, les inspirateurs tendus au maximum, soulevant la cage thoracique en creusant l'estomac, indices de la mort par suffocation, la poitrine pleine d'air vicié que la victime ne peut renouveler (voir pages 12 et 13).

Seconde signature : l'enclouage.

L'image du poignet gauche montre deux traces sanglantes dont l'origine est dans le pli du poignet, et non dans la paume, où les crucifix représentent habituellement l'emplacement des clous. Le docteur Barbet a cloué la paume de bras fraîchement amputés, et leur a suspendu un poids de 40 kilos. Les tissus de la paume se sont déchirés, et le bras s'est décroché : il est impossible de

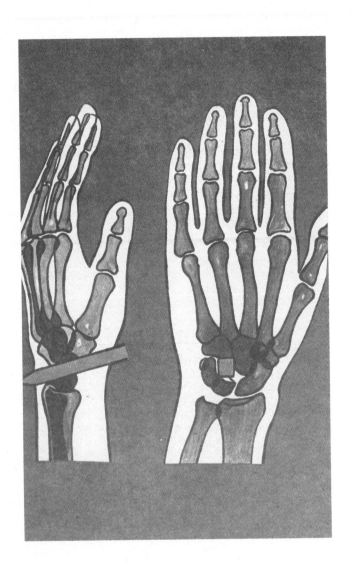

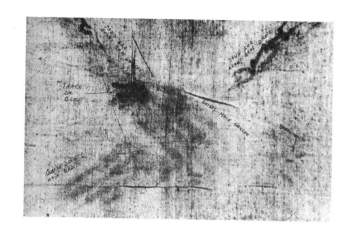

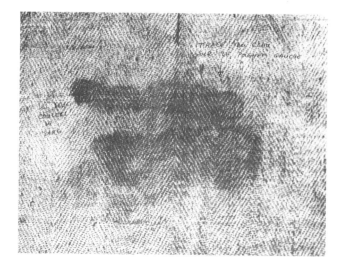

57

crucifier un homme ainsi. Par contre, en plaçant le clou exactement où l'indique les traces, le clou pénètre sans difficulté, en s'inclinant la pointe vers le coude.

Le dessin page 56 indique ce qui se passe. Il y a entre les os du poignet un espace, que les anatomistes nomment espace de Destot, et qui peut s'élargir suffisamment pour laisser le passage à un clou de section carrée de huit millimètres de côté, tel celui dont la trace figure sur le Sindon. En cette position, le clou est retenu par un fort ligament qui réunit les os du carpe, et supporte sans difficulté le poids du corps.

*
* *

Les empreintes des mains, sur le Sindon, montrent une particularité étrange : elles n'ont pas de pouce. Le docteur Barbet en eut l'explication en plantant un clou dans un bras fraîchement amputé, qui gardait sa motricité. Au moment où le clou traversait l'espace de Destot, le docteur vit le pouce se rabattre sur la paume. Une dissection lui donna la clé du phénomène : le clou broie la partie interne du nerf médian, sans endommager sa partie externe. Barbet fit dix-huit fois l'expérience. Le nerf fut broyé sur un tiers au moins et deux tiers au plus de son diamètre. Chaque fois le pouce se rabattit sur la paume. La partie broyée du nerf est la partie sensitive, alors que la partie intacte est la partie motrice. La douleur, causée par le broyage de la partie sensitive devait être atroce, car les mains sont, avec les lèvres, les parties les plus sensibles du corps. Le seul pouce contient plus de terminaisons nerveuses qu'une jambe entière. Cette douleur excitait la zone motrice du nerf, et contractait le muscle fléchisseur du pouce.

La position du clou dans l'espace de Destot et l'absence d'images de pouce sont les signatures d'un enclouage de crucifixion.

Troisième signature : les coulées de sang.

Le sang issu des plaies du poignet coule verticalement pour l'essentiel, séparé en deux rigoles parallèles par la saillie qui forme la tête du cubitus. Une petite partie s'est écoulée le long du bras, en suivant le sillon que forment les muscles extenseurs des doigts, contractés jusqu'à la tétanie par les effets de la crucifixion. Cette tétanie commence par les avant-bras, puis s'étend aux bras, aux épaules, au torse, et finalement aux jambes. Lorsque le sang coulait de l'avant-bras, ce dernier était vertical. Cependant, les traînées n'ont pas toutes cette direction. Ceci implique que, à certains moments, le bras n'était pas vertical. Les bras ont donc oscillé entre deux positions différentes, correspondant à deux positions du corps plus ou moins affaissées. Les figures, pages 60 et 61 montrent ces positions. C'est l'alternance caractéristique de la suffocation due à la crucifixion. Les os du crucifié de Giv'at ha Mitvar, mort au premier siècle, montrent des traces qui font frissonner. Le clou avait été passé entre le radius et le cubitus, dans l'avant-bras et non dans le poignet. Lui aussi a alterné entre une position haute et une position basse. Au cours de ces mouvements, le clou frottait contre le radius, *au point que l'os a été usé en cet endroit.*

A chacun des mouvements de l'homme du Sindon le clou a frotté contre la blessure du nerf médian. La décharge excitait la partie motrice, en serrant le pouce dans la paume, et aussi la partie sensitive. Les douleurs dues aux blessures des gros troncs nerveux sont les pires que la médecine connaisse. Pour éviter qu'elles n'entraînent la mort par collapsus cardiaque, le corps se défend généralement par une syncope. Un crucifié est obligé de résister à la syncope dans toute la mesure de ses forces, car la syncope engendre une détente musculaire, et donc la suffocation. Le crucifié résiste jusqu'à ce que la tétanie généralisée le contraigne à accepter la mort par suffocation.

Quatrième signature : les plaies des pieds.

Le pied droit a laissé une empreinte complète sur le linceul, alors que seuls le talon et la partie moyenne du gauche ont marqué. Le tissus devait être serré par un lien autour des chevilles, car, comme l'observe Barbet, et

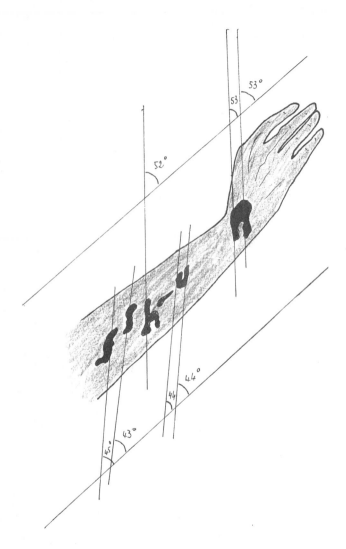

Représentation des angles différents faits par les deux types de coulées de sang sur le bras du crucifié. Cette double orientation laisse penser à des mouvements du crucifié pendant l'agonie.

*Position relevée,
vue de face · vue de dos.*

*Position affaissée,
vue de face · vue de dos.*

*Les deux positions des crucifiés et les deux orientations du sang venant
des plaies des clous.*

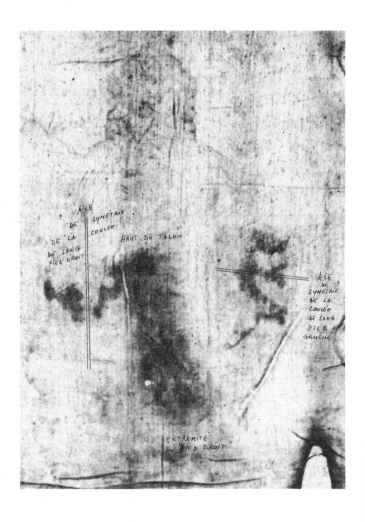

AXE

DE SYMÉTRIE
COULÉE
DE LA
DE SANG
PIED DROIT

HAUT DU TALON.

AXE
DE
SYMÉTRIE
DE LA
COULÉE
DE SANG.
PIED
GAUCHE

EXTRÉMITÉ
DU PIED DROIT

comme le montre la photo page 62 les taches de sang présentent, surtout à droite, un axe de symétrie. L'axe correspond à un pli du tissu, si bien que le sang a laissé une image sur les deux épaisseurs. Une fois le tissu déplié, la tache formée la première et son décalque sur la partie repliée forment un dessin symétrique. C'est ce que l'on verrait si l'on plaçait un miroir à l'endroit du pli. La tache formée la première et son image dans le miroir forment un ensemble symétrique. Ceci est très net pour la tache voisine du pied droit, et un peu moins pour celle de gauche.

Les plis du tissu indiquent qu'en cet endroit, il était ramené et serré contre les chevilles : il y avait probablement là un lien qui enserrait l'étoffe et la maintenait.

*
* *

La tache de sang du pied droit a pour origine un point rectangulaire, qui ne peut guère être autre chose que la trace d'un clou : l'importance de l'écoulement de sang indique une plaie très profonde. Cette trace se trouve entre les deuxième et troisième métatarsiens, un peu en avant de la ligne, dite de Lisfranc, qui sépare le tarse du métatarse. En ce point, dit joint de Lisfranc, il est facile d'enfoncer un clou, qui ne rencontre que des parties molles : Barbet en a fait l'expérience. Enfoncé en cet endroit, le clou fournit un appui solide au corps, car il porte contre le massif osseux de la cheville (voir page 65).

La position des plantes de pied indiquée par les images correspond à l'attitude d'une ballerine qui fait des pointes, c'est-à-dire celle dans laquelle un bourreau devait les placer pour les clouer au *stipes*. Les images de la cuisse et du genou gauches sont légèrement déportées en avant et en haut par rapport au côté droit, confirmant les indications données par l'empreinte incomplète et la direction du pied gauche; ce dernier était cloué un peu plus haut que le droit. Il se pourrait, comme cela a été suggéré, que cette différence de hauteur puisse s'expliquer par le fait qu'un seul clou aurait fixé les deux pieds, mais cette conclusion est peu sûre : les tentatives faites pour poser les deux pieds l'un sur l'autre de façon à faire coïncider les joints de Lisfranc montrent que cette coïncidence est très délicate à obtenir. Il est plus vraisemblable que le bourreau a fait son office sans se préoccuper de symétrie, et qu'il a cloué les deux pieds comme ils se présentaient. S'il a commencé par le droit, le crucifié a pu prendre appui sur ce pied pour soulager la douleur provoquée par la suspension par les poignets. En prenant cet appui, il s'est légèrement soulevé, et le pied gauche a été fixé quelques centimètres plus haut.

Cinquième signature : Les meurtrissures du dos.

En plus des plaies dues au fouet, le dos porte deux larges meurtrissures sur l'épaule droite et la région sous scapulaire gauche. Le docteur Barbet connaissait bien ce genre de blessures. Ayant été affecté aux chemins de fer, il eut à soigner des hommes tombés en portant des traverses de voie ferrée. Le porteur place la poutre sur l'épaule droite, le centre de gravité un peu en arrière de l'épaule, et la retient de la main droite, en l'écartant un peu du corps pour la faire porter en biais, sur l'épaule et la nuque. Quand il tombe, en général parce qu'il butte du pied sur une pierre et qu'à cause de sa charge il n'a pas les mouvements assez vifs pour rétablir son équilibre, il heurte le sol d'abord du genou droit s'il est droitier, puis du gauche. Il lâche alors la poutre pour se recevoir sur les mains. La poutre glisse sur son épaule et blesse tout ce qu'elle frotte : l'épaule droite et la région de la pointe de l'omoplate gauche principalement, les épines des vertèbres qu'elle rencontre sur son passage et la crête illiaque plus légèrement. Sur l'image du Sindon, les deux meurtrissures principales sont bien visibles. Les autres blessures notées par Barbet ne sont pas discernables parmi toutes celles qui déchirent le dos de l'homme du Sindon. Les principales suffisent à montrer que cet homme a porté un objet très lourd en forme de poutre, et qu'il est tombé en le portant.

La plaie au côté.

Le côté droit du torse porte une grande blessure ovale, béante, de 48 millimètres de long et de 15 millimètres de large, située entre la cinquième et la sixième côte. Une photo détaillée et un dessin permettent de mieux lire la photo (page 68).

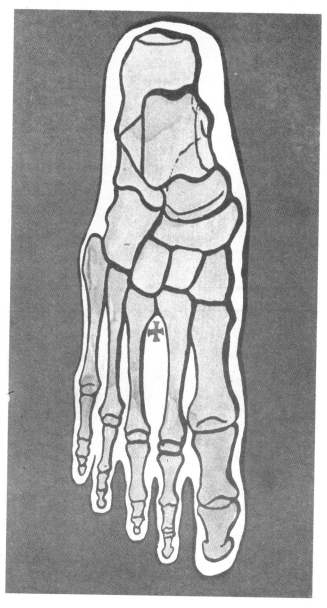

Le sang a coulé très abondamment de cette blessure, sur plus de quinze centimètres, en larges méandres. L'écoulement n'est pas homogène. Il est interrompu par des zones claires, et son bord porte des indentations arrondies. On le voit continuer sur le dos, où il traverse le dos de droite à gauche à hauteur de la taille, en plusieurs larges filets interrompus par endroits. A droite, juste à côté d'une pièce cousue sur le Sindon après l'incendie de 1532, on voit qu'un liquide clair a coulé avec le sang, sans se mêler à lui, laissant des traces roses très pâles.

Cette blessure a été faite après la mort : elle est restée béante comme une caverne, alors qu'elle se serait refermée si l'homme du Sindon l'avait reçue vivant. La quantité de sang qui s'en est écoulée montre que le coup a atteint le cœur.

Legrand a reporté sur un homme de la taille et du poids de celui du Sindon cette tache, en la dessinant sur la poitrine, puis il a placé cet homme dans l'attitude d'un crucifié. Dans cette attitude, les côtes moyennes font saillies, et sur chacune se trouve, en augmentant le relief, une digitation du muscle grand dentelé. Chacune des ondulations de la coulée de sang qui sort de cette plaie contourne l'une de ces saillies.

Sur un cadavre, les ventricules sont toujours vides de sang, alors que les oreillettes en contiennent. De plus l'oreillette droite communique avec les deux veines caves, supérieure et inférieure, qui contiennent une grande quantité de sang. L'abondance du sang qui s'est écoulé de la plaie montre que l'oreillette a été atteinte. Compte tenu de la position de la plaie en surface, le coup a été porté presque horizontalement. L'arme utilisée, nous le verrons, est une arme de fantassin, et non de cavalier. Celui qui a frappé était donc à pied. Pour qu'un coup horizontal puisse être porté à cet endroit par un homme à pied, il fallait que la croix n'ait que deux mètres de hauteur, autrement dit la *crux humilis*.

Les docteurs Donnet et Metras, spécialistes de chirurgie thoracique, ont noté que lorsque la poitrine subit un violent traumatisme sans pourtant être défoncée, les poumons réagissent en émettant une grande quantité de liquide pleural transparent qui s'accumule entre les plèvres. La brutalité de la flagellation a nécessairement produit un phénomène de cette sorte. Le sang de l'oreillette droite et de la veine cave supérieure, ainsi que le liquide pleural, se sont épanchés par cette blessure.

Elle a été faite peu après la mort. Les docteurs Donnet et Metras ont en effet montré que lorsque la plèvre est ainsi ouverte, le poumon se rétracte, en laissant une cavité à la partie inférieure de la place qu'il occupait. Une partie du sang cardiaque et du liquide pleural s'accumulent dans cette cavité où ils stratifient par gravité, le sang en dessous, le liquide pleural en dessus, sans se mélanger. Une fois la cavité remplie, les liquides débordent hors de la blessure.

Une seconde coulée a eu lieu plus tard, celle dont on voit la trace en travers des reins. A ce moment-là, le corps du crucifié était allongé horizontalement sur son côté gauche. On peut déduire cela du fait que le sang et le liquide transparent coulaient nécessairement selon la ligne de plus grande pente. Si cette ligne traversait les reins de droite à gauche, le corps était couché, et cet écoulement se produisit après la descente de croix. Ce sont les liquides restés dans la cavité laissée par le poumon rétracté qui se sont répandus. Pour qu'il y ait des liquides, il fallait que le poumon se fût rétracté, ce qui ne se produit que durant l'heure qui suit la mort. Cette large blessure au côté a donc été portée moins d'une heure après le décès.

La forme de cette coulée indique que le sang s'est coagulé aussitôt. C'est naturel : le sang d'un cadavre reste liquide, et peut se coaguler pendant une dizaine d'heures après le trépas. La descente de croix a donc eu lieu au plus tard dix heures après la mort, et probablement nettement moins en raison de la netteté de la coagulation de la coulée sur les reins : le sang avait encore conservé intacte sa propriété de coagulation.

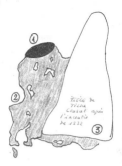

La plaie du côté (droit).

(1) Trace (accentuée) de la lance. Cet ovale correspond à la section de la LANCEA romaine et en forme et en dimension. Le fait qu'elle soit restée béante montre qu'elle fut causée après la mort. Sinon, elle se serait quelque peu refermée.

(2) Milieu de l'écoulement très élargi en provenance de la plaie.

(3) Réparation du Linceul par l'adjonction d'une pièce cousue après l'incendie de la Chapelle Royale de Chambéry en 1532.

68

Les plaies à la tête.

La tête, particulièrement le front, est sillonnée de coulées sanglantes issues de petites plaies circulaires de trois millimètres de diamètre environ. Ces plaies devaient être profondes, d'une part à cause de l'abondance du sang qui s'en est échappé, d'autre part car la traînée au milieu du front a la forme du chiffre trois renversé. Elle a dû contourner deux rides pour prendre cette forme. Comme les rives de cette traînée sont parfaitement nettes, la coagulation s'est faite sans que les rides qui barraient le front n'aient bougé. Cela exige un délai d'un quart d'heure. Dans un seul cas les rides peuvent rester identiques pendant un délai aussi long : lorsqu'elles sont produites par la contracture réflexe des muscles du front. Cette contracture résulte d'une violente douleur des muscles frontaux. Comme il n'y a pas d'autres plaies à cet endroit, ces perforations, pour provoquer cet effet, devaient être très profondes, probablement jusqu'à l'os.

L'arrière de la tête porte des traînées semblables. Cet homme portait non une couronne, mais un véritable casque d'épines planté avant la mise en croix (page 86).

Les traces des liens.

La symétrie des taches de sang laissées par les pieds montre que le linceul était serré au niveau des chevilles par une bande de tissu. Une seconde symétrie, à la hauteur du coude droit est possible. Pour cette seconde symétrie, et contrairement à la première, la forme des taches n'est pas suffisamment caractéristique pour que l'on puisse conclure avec assurance : le lien à hauteur des coudes est probable sans être certain. Comme il faut que le pli soit serré pour que le décalque se fasse, un axe de symétrie dans les taches de sang implique la présence d'un lien autour des chevilles et du linceul (page 62).

En dehors de ce report possible, une autre raison incline à l'existence d'un lien au niveau des coudes : la rigidité cadavérique a dû s'établir de façon presque instantanée sur des muscles tétanisés. Pour ramener le long du corps les bras que la crucifixion avait écarté, et pour croiser les mains sur le ventre, il n'a pas suffi de faire un effort, il a fallu que cet effort soit maintenu. Ceci implique un lien, mais qui ne pouvait être autour des poignets, car il aurait empêché le report complet de l'image des poignets sur le Sindon. Ce lien était donc autour du corps recouvert du Sindon, au niveau des coudes, là où il pouvait maintenir les bras le plus efficacement : le Sindon est un témoin fidèle, jusqu'aux plus petits détails.

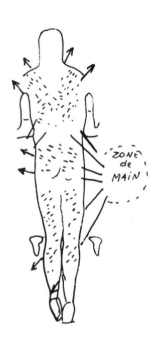

*Orientation des traces
de flagellation
sur le Linceul.*

*Position
de l'homme
flagellé.*

Zone d'emplacement de la main du bourreau qui flagelle.

QUI ÉTAIENT
LES BOURREAUX ?

L'emploi de la croix ne permet pas de conclure que les bourreaux étaient Romains, car plusieurs peuples du Moyen-Orient l'ont utilisée, les Perses, qui l'ont inventée, les Phéniciens et les Égyptiens. Ces derniers sont hors de cause, car ils utilisaient uniquement l'encordage, sans jamais enclouer.

Le coup de lance.

Cependant deux indices prouvent sans ambiguïté la nationalité romaine des bourreaux. Le premier est la blessure au côté. Sa taille montre qu'il s'agit d'un coup de lance. Il suffit de visiter un musée militaire consacré aux siècles passés pour constater l'étonnante imagination des hommes dans l'invention de fers de lance propres à déchiqueter d'habile manière leur prochain. Il existe des dizaines de modèles différents, causant des blessures dont chacune a une forme spécifique.

La plupart des fers de lance sont des poignards placés sur une hampe. La longueur du manche fait levier, si bien que les mouvements de la lance ont tendance à tordre le

71

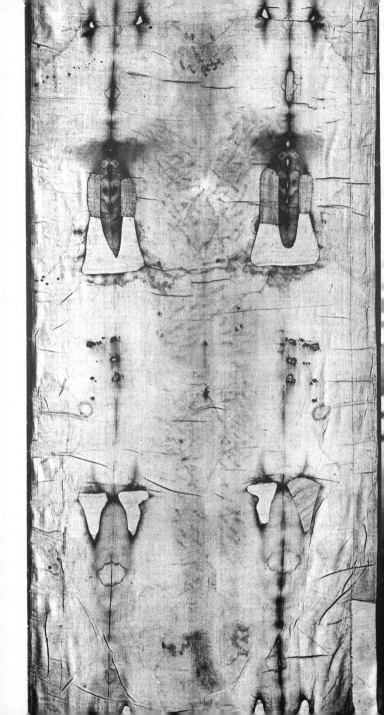

fer dans la blessure. Pour éviter de détériorer l'arme, le fer est renforcé par deux nervures axiales, en forme de demi-cercle ou de triangle. Les figures de la page 74 indiquent les principales variantes.

Les éléments qui caractérisent une lance sont multiples :

— les dimensions. L'épaisseur de la lame varie de 2 à 5 millimètres au centre, la largeur à la base va de 20 à 60, la longueur de 100 à 300 millimètres;

— la forme et la dimension des nervures axiales, et leur importance par rapport aux ailes, c'est-à-dire les parties de la lame situées à gauche et à droite des nervures.

Parfois les nervures, énormes, forment un triangle dont l'angle au sommet est droit, tandis que les ailes se réduisent à deux ou trois millimètres de part et d'autre des nervures. Dans le *pilum* romain, les ailes ont même disparu, les deux nervures triangulaires se raccordent, formant une section carrée. Dans d'autres cas, ce sont les ailes qui dominent, les nervures se réduisent à un élément décoratif de deux millimètres de hauteur, qui peut même disparaître. Dans ce cas, les ailes sont très épaisses, pour conférer une rigidité que d'autres lances obtiennent grâce aux nervures.

La largeur et l'épaisseur des ailes, les nervures plus ou moins importantes, leur forme en demi-cercle ou en triangle plus ou moins aigu, la présence d'un crochet ou d'une forme en hameçon qui déchire les chairs au retrait de la lance, ou au contraire l'absence de cette disposition, sont les éléments qui permettent de reconnaître le type d'arme.

*
* *

Les Romains utilisaient quatre sortes de lances : l'*Hasta,* lance lourde de combat; l'*Hasta velitaris,* allégée pour devenir une arme de jet; le *pilum,* plus long, à pointe carrée. Les deux premiers types sont toujours pourvus de crochets, le troisième le plus souvent.

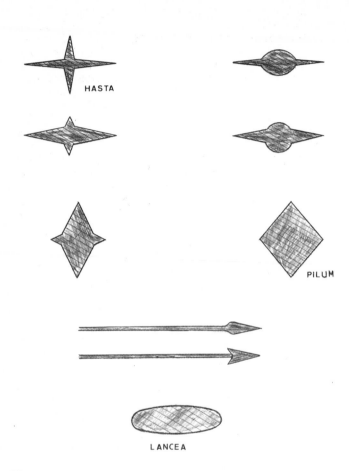

HASTA

PILUM

LANCEA

La quatrième sorte est la *lancea*, de forme tout à fait particulière. Son épaisseur considérable, très rare, 15 millimètres, la rend tellement rigide que les nervures sont inutiles. Hors la *lancea*, les lames les plus épaisses, ne dépassent pas 5 millimètres. Dans l'axe de la lame, sur d'autres lances, il arrive que l'épaisseur totale, lame plus nervure, atteigne 15 à 20 millimètres, mais dans la *lancea* la lame seule a cette épaisseur; les nervures semblent noyées dans la lame.

En dehors de son épaisseur, la *lancea* présente une autre particularité aussi exceptionnelle : les bords de la lame sont arrondis, alors que dans toute les autres, ils sont tranchants. La *lancea* ressemble à un énorme poinçon à section elliptique, alors que les lances ressemblent à des poignards épais ou renforcés de nervures.

*
* *

A ces deux particularités sans autre exemple connu s'ajoute un élément moins rare : contrairement à l'*hasta,* à l'*hasta velitaris,* et à la plupart des *pilums,* la *lancea* n'avait pas de crochets. C'était une arme d'émeute ou de corps à corps, réutilisable immédiatement.

La blessure latérale de l'homme du Sindon a une forme aisément identifiable : elle a été faite par une *lancea* romaine. Voir pages 68 et 74.

En plus de la forme de la lance, une blessure de ce type portée après la mort désigne également les Romains. La loi les obligeait à rendre le corps d'un crucifié à celui qui en faisait la demande; ils s'assuraient par un coup de lance réglementaire que le crucifié était bien mort. Ce coup a été frappé au côté droit selon les usages de l'escrime militaire : les Romains nommaient le côté droit le «*latus apertus* », c'est-à-dire le côté ouvert. Le flanc gauche d'un combattant étant protégé par le bouclier, les soldats Romains étaient entraînés à viser le côté droit. L'homme qui a porté ce coup a frappé d'un geste qu'un entraînement systématique a rendu instinctif.

Le fouet.

Les coups de fouets caractérisent les bourreaux aussi précisément que la blessure de la lance. Chaque peuple a fait preuve d'une certaine originalité en cette matière. Le chat à neuf queues anglais ne laisse pas les mêmes traces que le knout russe. Les Romains utilisaient trois fouets, dont deux sont assez particuliers pour que leurs blessures les identifient. Les verges Romaines, si utilisées qu'elles figurent sur les faisceaux des licteurs comme insignes de la puissance romaine, sont de simples branches comme beaucoup de peuples en ont utilisées, et n'ont rien de spécifique. Il n'en est pas de même des autres instruments Romains de flagellation.

L'un est le *flagellum*, constitué d'un grand nombre de petites cordes tortillées et nouées comme les antennes d'un polype, désigné du même nom. Ces fibres fines tranchaient la peau. Les blessures qu'elles entraînent sont désignées par les mots *caedere, secare, scindere,* qui expriment l'action de couper. Cet instrument, le pire, causait presque toujours la mort, la perte de liquide physiologique, étant comme dans le cas d'une brûlure étendue, très importante.

L'autre, le *flagrum,* ou *flagrum talis tesselatum,* était formé de lanières auxquelles on accrochait des osselets de mouton (tali). Les verbes qui expriment son effet, *pinsere* ou *rumpere,* désignent une frappe lourde et violente. C'est lui que l'on a utilisé sur l'homme du Sindon. Les marques en haltères sont les traces des tali, les astragales de mouton.

*
* *

Selon la tradition, le Christ fut flagellé dans une cour dallée, appelée le *lithostrotos,* à l'intérieur du palais de Pilate. Lors de fouilles, Legrand eut l'idée de suggérer de creuser dans les interstices des dalles; il conjecturait que si cette cour avait été choisie pour y flageller le Christ, c'est qu'elle était habituellement utilisée pour de tels supplices, et que peut-être des traces en subsistaient. On trouva trois astragales de mouton, dont l'une était perforée d'un trou axial. Celles qui n'étaient pas percées avaient sans doute servi à un jeu courant à l'époque, qui se jouait avec des osselets. Les légionnaires désœuvrés devaient le pratiquer et perdre parfois leurs tali entre les dalles. L'osselet perforé peut avoir été enfilé sur la lanière d'un fouet, et s'en être détaché au cours d'une flagellation. Cet osselet, enfilé sur la lanière d'un fouet, aurait laissé des marques exactement semblables à celles que l'on voit sur l'image du Sindon.

Le coup de lance porté après la mort du crucifié, la forme de la blessure indiquant la *lancea*, la trace du fouet montrant qu'il s'agissait d'un *flagrum* désignent sans ambiguïté les bourreaux : ce sont des soldats Romains agissant selon le règlement, donc sur ordre.

QUI ÉTAIT L'HOMME DU SINDON ?

Le parallélisme entre le texte des Evangiles et les renseignements que fournit l'étude du Sindon est si étroit que l'on pourrait y voir une confirmation directe du récit évangélique. Cependant, jusqu'ici, ce que nous montre le Sindon, c'est qu'un Juif, probablement de lignée noble, a été crucifié par des Romains, dans les premiers siècles de notre ère.

Les crucifiés Juifs.

Le tissu même du Sindon fournit une indication importante. Nous avons noté le temps nécessaire à sa fabrication et sa valeur. Aucun esclave n'aurait pu être enseveli dans cette étoffe coûteuse, ni un homme dont les amis eussent été pauvres. Or, en dehors des esclaves et parfois des petites gens, les Romains ne crucifiaient que ceux qui s'étaient rendus coupables de crime contre l'autorité de l'Etat, soit par la conspiration, soit par la révolte ouverte. Crucifiés pour atteinte à l'autorité de l'Etat furent Spartacus et ses 6.000 compagnons, les 2.000 Juifs exécutés par Quintillus Varus, le légat de Syrie, après la mort d'Hérode le Grand, les combattants de la révolte de 70, qui se termina par l'incendie du Temple par les soldats de Titus. D'après Josèphe, durant le siège, il y eut certains jours jusqu'à 500 Juifs crucifiés.

* *
*

Les deux « bandits » qui furent, selon les Evangiles, crucifiés en même temps que le Christ appartenaient, selon toutes probabilités, à des groupuscules terroristes luttant contre la présence romaine. Aujourd'hui encore, les gouvernements confrontés, pour quelque raison que ce soit, à ce genre de problème, qualifient les terroristes de bandits. Les Romains les appelaient sicarius, c'est-à-dire « homme au couteau », dont le français a tiré sicaire, tueur à gage. Judas, l'apôtre qui livra le Christ, avait probablement appartenu à l'un de ces groupes avant de rejoindre les disciples. Les Evangiles en effet joignent à son nom l'adjectif « iscariote », de sens inconnu. Les traducteurs supposent qu'il existait une ville nommée Iscarie, et traduisent « originaire d'Iscarie ». Cependant on n'a jamais trouvé de document faisant état d'une ville de ce nom. C'est pourquoi certains exégètes ont émis l'hypothèse que la racine iscari serait une sémitisation du latin sicarius, et que Judas iscariote devrait être traduit par Judas le terroriste. Il ne devait pas en manquer à une époque où éclatait, en moyenne une fois tous les quatre ans, un soulèvement armé de grande envergure.

* *
*

D'après la valeur marchande du tissu du Sindon, l'homme qui y a laissé son empreinte ne pouvait être ni un esclave ni un pauvre. Il avait donc été condamné comme criminel d'Etat. Les révoltes juives contre l'autorité de Rome sont connues. Entre 25 avant notre ère et 70 après, il y en eut 26. Les chefs des plus célèbres, Judas le Galiléen et Thaddée, sont morts au combat. Siméon bar Giora, âme de la lutte pendant le siège de 70, fut capturé et étranglé dans le Tullianum. Les assiégés de Massada s'entre-égorgèrent mutuellement pour ne pas tomber aux mains des Romains. La plupart des autres chefs furent capturés et crucifiés.

Après la révolté de 70, le pays dévasté pansa ses plaies et tenta de se reconstruire. Ayant retrouvé une partie de ses forces, il se souleva de nouveau en 132, sous la conduite de Bar Kokhba. Après trois ans de combat, les légions romaines écrasèrent si complètement le pays que l'Etat juif fut rayé de la carte. Bar Kokhba ne fut pas crucifié, car il ne survécut pas à l'ultime siège de la Jérusalem antique.

*
* *

Ces données historiques encadrent assez étroitement les époques durant lesquelles les Romains crucifièrent des Juifs en tant que criminels d'Etat : de 25 avant notre ère, date de la première révolte à 70 après, ou de 132 à 135, lors de la dernière tentative d'indépendance. En dehors de ces périodes, l'histoire n'a enregistré aucune crucifixion politique. En revanche, pendant ces tranches de temps, les crucifixions furent très nombreuses, car les Juifs se montrèrent d'une combativité exceptionnelle. Avant d'être ravagé en 70, le pays était riche et peuplé, il comptait environ 2,5 millions d'habitants selon le recensement ordonné par Néron. La population s'effondra après la guerre de 70, se reconstitua progressivement, et en 132 retrouva probablement son niveau antérieur. Elle diminua plus encore après l'ultime révolte, qui se termina en 135 lorsque Jules Sévère anéantit ce qui restait de l'Etat juif, en rasant la partie de Jérusalem qui entourait les ruines du Temple, et en édifiant sur cet emplacement Aelia Capitolina, une cité païenne dédiée à Jupiter Capitolin. La population juive ne retrouva alors plus jamais la base démographique nécessaire pour tenter un nouveau conflit avec la puissance romaine.

Malgré le nombre élevé des crucifiés juifs pendant les époques de troubles, quatre éléments distincts indiquent qu'il s'agit de l'homme dont parlent les Evangiles, et non de l'un des innombrables combattants qui tentèrent de secouer le joug romain.

Premier élément : la flagellation.

Au second siècle avant notre ère, le droit romain prescrivait de flageller les condamnés à mort durant la marche qui les conduisait du tribunal au lieu d'exécution. Cette flagellation s'appliquait quelle que soit la forme de mise à mort ordonnée par les juges, la décapitation (Tite-Live), le bûcher (Josèphe) ou autre. D'après Mommsen, seuls les sénateurs, les soldats et les femmes qui avaient reçu la citoyenneté romaine se voyaient épargner la flagellation. Cependant, cet article de la loi romaine était tombé en désuétude bien avant le début de notre ère. Les trois amis de Flavius Josèphe ne furent pas flagellés, alors que, au cours du siège de Jérusalem, les Romains avaient décidé d'user d'un maximum de brutalité : la résistance des Juifs fut si énergique que Titus, fils de l'empereur et général en chef de l'armée, voulut, à son retour à Rome, faire ériger un arc de triomphe pour commémorer une victoire qu'il jugeait particulièrement glorieuse. Une dizaine de victoires seulement, pendant le demi-millénaire que dura la puissance romaine furent jugées dignes d'êtres célébrées ainsi. La victoire sur les Juifs laissa aux Romains le plus cuisant souvenir : les soldats romains ne voulurent jamais passer sous l'arc de Titus, craignant les représailles des manes des soldats juifs tombés au combat, et toujours animés de fureur guerrière. La superstition était si forte qu'elle se maintient encore aujourd'hui, en plein vingtième siècle.

*
* *

Pour tenter d'abattre le moral des combattants de Jérusalem, Titus fit crucifier devant la ville tous les Juifs capturés, jusqu'à 500 certains jours. Pourtant, aucun ne fut flagellé.

Une plaidoirie de Cicéron nous fournit une indication semblable. Claudius Rabirus avait été condamné à la croix pour crime contre l'Etat. Le consul Labiénus, la plus haute autorité de Rome, exigeait que le supplice fût appliqué « more majorum », suivant les coutumes des ancêtres, c'est-à-dire après flagellation. Cicéron s'opposa à ces « rites barbares » et obtint que son client fût crucifié sans flagellation. Il fallait qu'elle fût totalement bannie des mœurs pour qu'un consul ne put faire appliquer les termes stricts de la loi. Cicéron plaida également contre Verrès, propréteur de Sicile; sa plaidoirie est restée un classique, sous le nom de « in Verrem actio ». Verrès avait commis le crime de crucifier un citoyen romain, en orientant par défi la croix vers Rome, alors que le condamné n'était pas accusé de crime d'Etat. Cicéron n'accuse Verrès que de crucifixion illégale, sans lui imputer les « rites barbares ». Si, même dans un geste de défi délibéré, Verrès n'y a pas recouru, c'est que la flagellation n'était plus jamais associée à la crucifixion.

*
* *

De toute façon, la flagellation archaïque des condamnés était pratiquée sur le parcours, alors que celle subie par l'homme du Sindon fut appliquée sur la victime immobilisée : les coups ne se seraient pas répartis en deux éventails réguliers si le bourreau et le condamné avaient marché vers le lieu de l'exécution. Le fouet a été appliqué à l'homme du Sindon non seulement en contradiction avec les coutumes, mais aussi en contravention avec la loi. Celle-ci spécifiait « non bis in idem », pas deux châtiments pour une seule faute. La flagellation d'une victime attachée à une colonne et la crucifixion sont deux peines différentes que la loi interdisait de prononcer contre la même personne.

Dans le cas du Christ, les Evangiles nous racontent pourquoi cette double condamnation fut endurée. Les Sanhédrites avaient voulu condamner le Christ grâce à de faux témoignages. Ils avaient appliqué la loi juive qui prescrit d'interroger séparément les témoins à charge, afin qu'une éventuelle contradiction puisse être retenue en faveur de l'accusé. D'après la loi juive, les témoignages discordants sont nuls, et au moins deux témoignages identiques sont nécessaires pour une condamnation. Les témoignages contre le Christ étant discordants, le grand prêtre Caïphe ne put les retenir. Il dit à Jésus : « Je t'adjure par le Dieu Vivant de nous dire si tu es le Christ, le Fils de Dieu ». Sur la réponse affirmative du Christ, il prononça la sentence de mort pour blasphème.

Cette sentence cependant n'était pas exécutoire. Seuls les Romains pouvaient prononcer une telle peine.

C'est pourquoi le Christ fut conduit devant Pilate, proconsul de Syrie et de Palestine de 26 à 36 selon les textes

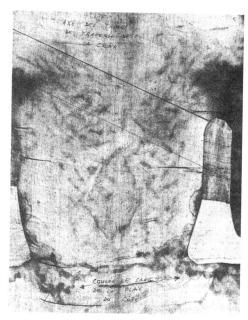

Dos.

(1) et (2) Traces de flagellation, forme en haltères, qui impliquent la présence de lanières chargées d'osselets de mouton : traces d'emploi de «FLAGRUM» romain.

(3) L'excoriation sur l'omoplate droite, c'est le type de trace qu'aurait laissée une lourde traverse de bois portée sur l'épaule dénudée. Le buste était penché très en avant sous la charge.

(4) La «queue de cheval», coiffure courante chez les Juifs du Ier siècle.

(5) Ecoulement de sang provenant de la blessure due au coup de lance (côté droit de l'homme, ici inversé à gauche) alors que le corps, descendu de la croix, reposait sur le flanc.

de l'époque, afin qu'il confirme la sentence. Mais Pilate appliquait la loi romaine, un point de théologie ne constituait pas un blasphème, et ce blasphème n'était point passible de mort. Il refusa d'entériner la condamnation. Les Sanhédrites menaçèrent de déclencher une émeute si satisfaction ne leur était pas donné; Pilate tenta un compromis : il fit flageller le Christ et le montra aux accusateurs en disant « *Voici cet homme* ». Il pensait que la brutalité de la sanction satisferait les Sanhédrites, et qu'il éviterait ainsi à la fois de condamner un innocent et provoquer une émeute.

Mais le compromis fut violemment refusé et les Sanhédristes accusèrent le Christ de fomenter une révolte contre Rome en se proclamant roi des Juifs. Pilate interrogea le Christ sur cette déclaration, et il lui fut répondu : « *Mon royaume n'est pas de ce monde* ». Pilate compris parfaitement le sens de la réponse, et tenta diverses manœuvres pour éviter la condamnation demandée. Il envoya le Christ à Hérode, gouverneur de Galilée, sous prétexte que le Christ était originaire de cette province, mais Hérode le lui renvoya, prétextant que les accusateurs étaient à Jérusalem.

Pilate proposa de le reconnaître coupable, mais de le relâcher en appliquant une coutume de ce temps : à Pâques, les autorités juives pouvaient demander la grâce du coupable de leur choix. Ce compromis fut également refusé.

Pour emporter la décision, les Sanhédrites menacèrent Pilate : « *Si tu ne le condamnes pas, tu n'es pas un ami de César* ». Ils signifiaient ainsi au gouverneur qu'ils le dénonceraient à l'empereur comme coupable d'avoir relâché le chef d'une révolte avortée contre l'empire. Pilate prit peur et prononça la mort pour crime d'Etat, en faisant inscrire le motif de la condamnation sur un écriteau fixé au *stipes* de la croix : « *Jésus de Nazareth, roi des Juifs* ».

Ce sont ces circonstances qui ont valu au Christ une double peine contraire à la fois à la loi et aux coutumes romaines; elle est si exceptionnelle que ni le consul Labiénus, ni Verrès défiant Rome, ni Titus tentant d'impressionner les assiégés de 70 n'y ont recouru.

Second élément : la couronne d'épines.

La couronne d'épines est également exceptionnelle. Elle n'est attestée que dans le cas du Christ, pour une raison évidente. Les bourreaux imitaient sur le mode dérisoire la *corona radiata,* la couronne de rayons, emblème des dieux et des demi-dieux dans la statuaire romaine. Ce geste sadique n'avait de sens qu'à l'encontre d'un homme qui s'était déclaré participant à la divinité.

Les Juifs qui avaient participé aux multiples révoltes qui secouèrent cette région ne voulaient que rétablir l'indépendance nationale de leur peuple. Dans leur période de succès, par exemple en 66, quand ils parvinrent à contraindre les troupes romaines à quitter le pays, ils installèrent un gouvernement national, frappèrent des monnaies portant la devise «*An I de la liberté*», mirent à mort le grand prêtre Ananias coupable de collaboration avec les Romains; jamais nul ne revendiqua la qualité de Messie. Même Siméon ben Koziba, dit Bar Kokhba, chef de la guerre de 132 à 135, ne déclara pas être le Messie, bien que Rabbi Akiba lui eût donné ce titre. Durant la brève période où il contrôla le pays, il agit en chef politique et guerrier, mais non religieux. De toute façon, pour les Juifs, le Messie devait être un chef temporel rétablissant l'indépendance nationale, et non un réformateur religieux.

Pour tous ces combattants, la *corona radiata* n'avait pas de sens. Pour le Christ seul, qui avait affirmé «*mon royaume n'est pas de ce monde*», elle en avait un.

Troisième élément : la barbe arrachée.

Dans la symbolique juive, l'arrachement d'une partie de la barbe a le même sens que la *corona radiata* dans la symbolique romaine : les blasphémateurs étaient punis de mort par lapidation, après que l'on leur eût arraché une partie de la barbe ou des cheveux, afin que les spectateurs connussent le motif de la lapidation. Il est contradictoire qu'un Juif puisse à la fois être tenu par ses concitoyens pour un blasphémateur et par les Romains pour un révolté : dans un pays aussi marqué par la religion, un blasphémateur ne pouvait avoir aucun prestige, alors qu'il en fallait beaucoup pour entraîner une révolte susceptible de menacer l'autorité de Rome.

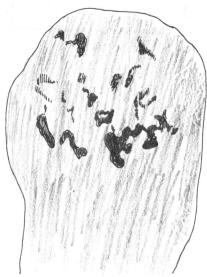

Ecoulements de sang sur la nuque : méandres et granulation internes, indiquant la présence de zones non mouillables dans les cheveux. La raison vraisemblable est la présence d'un parfum à diluant huileux, tel qu'on l'utilisait dans l'Antiquité.

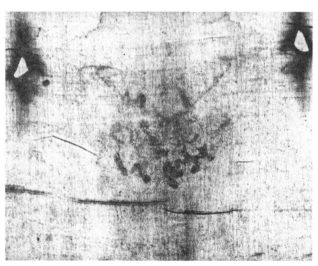

Les Evangiles nous expliquent comment le Christ s'est trouvé dans cette situation sans précédent.

Quatrième élément : l'onction.

La couronne d'épines a ouvert des blessures tout autour de la tête, les traînées de sang qui ont coulé derrière la tête sont particulières : elles sont constellées de petites lacunes, grosses comme des grains de riz, où le sang n'a pas mouillé les cheveux. La reproduction page 86 les montre.

Le sang est un liquide hydrophile, puisqu'il est constitué en majeure partie d'eau. Les espaces qu'il n'a pas touchés sont hydrophobes, c'est-à-dire imbibés d'un corps gras qui repousse l'eau. Pourquoi ces goutelettes d'huile sur les cheveux ? Le mot Christ vient du grec Chrestos, qui signifie « *l'oint* ». Messie vient de l'Hébreu Massiah, qui a le même sens.

L'onction était faite avec une huile parfumée, l'huile étant le seul solvant que l'antiquité connu pour dissoudre les principes aromatiques. Pour fabriquer un parfum, on couvrait une planche polie d'une fine couche de graisse sur laquelle on déposait une couche de racines d'une plante, le nardus. On appelait cette racine un épi, car l'ensemble des radicelles ressemble aux barbes d'un épi. En quelques heures, les essences aromatiques contenues dans ces racines passent dans la graisse. La couche de racines était renouvelée quelques dizaines de fois, puis la graisse était rassemblée et fluidifiée par adjonction d'huile. Le produit ainsi obtenu était appelé nard, et c'était un parfum de grand prix.

L'onction était, depuis le temps de l'exode, treize siècles auparavant, le signe de la consécration à Dieu. Elle était à l'origine pratiquée sur les objets du culte, puis sur le grand prêtre, et s'étendit ensuite à tous les prêtres. Elle ne fut donnée aux rois, tels Saül et David, que lorsqu'ils avaient fait l'objet d'une élection particulière. Au premier siècle de notre ère, les fonctions politiques et sacerdotales étaient entièrement séparées; seuls les prêtres étaient consacrés par l'onction.

Les Evangiles nous disent qu'une femme nommée Marie donna une onction au Christ, à Béthanie, cinq jours avant la crucifixion, sur la tête d'après Matthieu et Marc, sur les pieds d'après Jean. Il s'agissait de beaucoup plus que d'un signe de respect : le Christ fit taire les protestations de Judas, qui aurait voulu vendre le parfum et distribuer le produit de la vente aux pauvres, en disant : *«En vérité je vous dis, partout où sera proclamé cet Evangile, dans le monde entier, on redira aussi, à sa mémoire, ce qu'elle vient de faire»*. Le Christ demande explicitement aux apôtres de garder à travers les siècles le souvenir de cet instant. Il n'a formulé pareille demande qu'en une seule autre circonstance : lorsqu'il a institué l'Eucharistie. Pour tout le reste de son enseignement, Il a laissé aux apôtres la responsabilité et la liberté de choisir celles de ses paroles et ceux de ses actes dont ils témoigneraient. *«Il y a encore bien d'autres choses qu'a faites Jésus. Si on les mettait par écrit une à une, je pense que le monde lui-même ne suffirait pas à contenir les livres qu'on en écrirait»* dit Jean au dernier verset de son Evangile.

Qu'avait donc ce geste de si extraordinaire ou de si significatif ? Le Christ nous le dit en parlant de la proclamation de « *cet Evangile* ». Le mot Evangile vient du grec, et signifie « *bonne nouvelle* ». Non pas n'importe quelle bonne nouvelle, mais celle qu'annonçaient les prophètes de l'Ancien Testament : La venue d'un Messie pour le salut des hommes. Les traducteurs ont utilisé ce terme pour que les lecteurs modernes comprennent cette expression comme les auditeurs du Christ la comprenaient.

Marie de Béthanie venait de faire un acte de foi dont les apôtres avaient presque tous été incapables : ils avaient mis très longtemps à comprendre que Jésus n'était pas seulement un prophète, mais l'Oint de Dieu : « *Voilà si longtemps que je suis avec vous, et tu ne me connais pas Philippe ?* » (1). Marie de Béthanie avait compris tout de suite, et manifestait sa foi au moyen de la symbolique juive de l'époque : l'onction sur la tête, rappelant les consécra-

---

(1) Jean 14, 9.

tions de Saül et de David par Samuel, signifiait le prêtre roi, et l'onction sur les pieds se fondait sur la prophétie d'Isaïe « *Qu'ils sont beaux sur les montagnes, les pieds du messager qui annonce la paix, du messager de la bonne nouvelle qui annonce le salut* » (2). Jésus confirme aussitôt cette assertion de foi, et place l'annonce de la venue du Messie au même plan que l'institution de l'Eucharistie. Dès la phrase suivante, disant que c'est en prévision de sa mort que cette onction a été faite, Jésus remet dans la mémoire de ses disciples l'autre partie de la prophétie d'Isaïe, le quatrième chant du serviteur, qu'Il leur avait déjà plusieurs fois rappelée, et que les apôtres refusaient énergiquement d'accepter (3) : C'est par sa mort que le Messie apporterait le salut aux hommes, et manifesterait qu'il était, comme le disent les psaumes messianiques « *prêtre pour l'éternité selon l'ordre de Melchisédech* ».

Melchisédech signifie « *Mon roi est justice* ». Ce n'est pas un nom, mais un titre, celui que portaient les rois prêtres d'une très antique cité nommée Uru-Salem en akkadien archaïque, vers 2000 avant notre ère. Uru signifie ville. Salem a longtemps été traduit par paix, selon une racine sémitique qui a ce sens. On s'est aperçu récemment qu'il s'agissait d'une homonymie trompeuse et que Salem est le nom d'un Dieu : Uru-Salem est la *cité du Dieu Salem*. Compte tenu de l'attitude d'Abraham, rappelée ci-dessous, il faut probablement entendre Salem comme les Hébreux de l'époque entendait Yahvé : ce nom désignait à la fois le dieu tribal des Hébreux, et le Créateur universel. Dans ce cas, Uru-Salem signifierait *la cité de Dieu*. Vers 1400 avant notre ère, Abdi-Kiba, le Melchisédech de l'époque, écrivit sept lettres au Pharaon contemporain, en cunéiforme, la langue diplomatique. Ces lettres ont été retrouvées à Tell-el-Amarna en Egypte. Le Melchisédech demandait une aide militaire au Pharaon, qui lui devait cette aide en tant que suzerain. Dans l'une de ces lettres, Abdi-Kiba déclare qu'il n'a reçu sa royauté « *ni de son père, ni de sa mère, ni par héritage, mais du Très-Haut* ».

Vers 1000 avant notre ère, le roi David s'empara de la cité et en fit sa capitale. Il garda le nom, qui devint Jérusalem, et continua le culte sur le même lieu sacré. Pour lui, il

---

(2) Isaïe 52, 7.
(3) Marc 8, 32.

s'agissait du même culte, selon une tradition remontant à Abraham : au retour d'une guerre victorieuse, le patriarche était venu donner un dixième de son butin au Melchisédech, qui lui offrit du pain, du vin, et qui le bénit, en utilisant une formule dont le texte en araméen a été retrouvé dans des documents de l'Egypte antique. Abraham se conformait à une coutume babylonienne apprise dans sa jeunesse : il avait vécu longtemps à Haran, au nord ouest de la Mésopotamie. Cette coutume prescrivait, en cas de victoire, de donner la dîme du butin à un temple. En choisissant celui de Uru-Salem, Abraham manifestait que le Très Haut qu'il adorait était le même pour lui et pour le Melchisédech, c'est-à-dire que Salem et Yahvé avaient le même sens.

*
* *

Les Juifs transmettaient la prêtrise par hérédité. Ils furent très impressionnés par l'élection divine du Melchisédech. Nous ne savons pas suivant quelles formes cette élection était manifestée. Peut-être par tirage au sort, suivant une pratique répandue dans l'antiquité pour discerner la volonté des dieux. Quoi qu'il en soit de ce point, lorsque la notion de Messie entra dans leur foi, les Juifs voulurent manifester une différence de nature entre le sacerdoce de l'Oint du Très Haut et celui des prêtres ordinaires. Ils utilisèrent pour cela une terminologie particulière, «*Prêtre pour l'éternité selon l'ordre de Melchisédech*» (1) pour le premier, «*prêtres selon l'ordre d'Aaron*» pour les seconds. Ce vocabulaire venait de ce que le Melchisédech était « *sans père, sans mère, sans généalogie* » (2), offrant ainsi une analogie du Fils de Dieu. Les termes qu'utilise Saint Paul sont étonnamment semblables à ceux de la missive d'Abdi-Kiba quatorze siècles auparavant.

Deux raisons inclinent à penser qu'une même tradition est à l'origine de cette similitude. D'une part la similitude elle-même, d'autre part l'insistance de Saint Paul sur ce vocabulaire : il lui consacre, dans son épître aux Hébreux, la fin du chapitre 6, le 7 en entier, et le début du 8. Comme les destinataires de sa lettre étaient particulièrement ver-

---

(1) Psaume 110, 4.
(2) Epître aux Hébreux, 7, 3.

sés dans la théologie juive, son insistance implique qu'il appuyait son argumentation sur une tradition jugée décisive.

Cette consécration sacerdotale d'un homme que les autorités religieuses avaient traité de blasphémateur témoigne que ce réformateur religieux a été rejeté par les ministres du culte officiel. D'autre part il fut considéré comme un agitateur politique par les Romains. Seul le Christ fut dans cette double situation.

L'analyse du Sindon confirme le texte évangélique sur tous les points où une confirmation matérielle est possible. Il est hors de doute qu'un personnage historique a vécu lors de l'occupation romaine de la Judée, et qu'il est mort précisément comme le racontent les Evangiles.

Le suaire (serviette pliée en long), entourant la tête pour maintenir la bouche fermée.

LA RÉSURRECTION

Les Evangiles décrivent la mort du Christ; mais ils parlent aussi clairement de sa Résurrection et font de cette résurrection la pierre angulaire du christianisme. « *Si le Christ n'est pas ressuscité, alors notre prédication est vide, vide aussi notre foi* », écrit Saint Paul (1). Le Sindon, si explicite en ce qui concerne la Passion n'est pas absolument muet sur ce point crucial. Il n'offre pas de preuve, mais des indices troublants.

Premier indice : les métabolites de décomposition.

Le corps d'un décédé émet des corps chimiques particuliers qui autorisent des déductions sur la personne. Ainsi, quand un homme est mort empoisonné, il est plus facile d'identifier certains des poisons par les corps chimiques émis par le cadavre que par l'autopsie. Ces exsudats se présentent sous forme de très petits cristaux, que l'on recueille en pressant un ruban adhésif contre les linges qui ont été en contact avec le décédé. On étudie ensuite au microscope les particules prélevées. La même technique est utlisée pour les pollens.

––––––––––
(1) Première épître aux Corinthiens, 15, 14.

Trente à trente-cinq heures après le décès, la dépouille émet des métabolites de décomposition. Le professeur Frei aurait dû normalement en trouver au cours de ses études sur les pollens. Cela n'a pas été le cas. Le corps du Christ a donc été retiré du linceul trente à trente-cinq heures au plus tard après sa mort.

Ce retrait est tout à fait contraire aux coutumes et aux lois de l'époque. Elles nous sont connues par un rescrit impérial, c'est-à-dire une réponse donnée par l'empereur lui-même à une question posée par un gouverneur provincial. La réponse est donnée par Auguste, probablement dans les dernières années de son règne, c'est-à-dire vers l'an 10 de notre ère, au gouverneur de Galilée, dont la capitale se trouvait à Séphoris, une ville aujourd'hui morte, située à huit kilomètres de Nazareth. Le rescrit a paru suffisamment important pour mériter d'être gravé sur une dalle de marbre et exposé au public. Cette dalle est aujourd'hui conservée par le Cabinet des Médailles à Paris. Voici la traduction du rescrit (1) :

« Je suis d'avis que les tombes et les sépultures qu'on a faites pour le culte des aïeux ou des enfants ou des proches doivent demeurer immuables à perpétuité. Si donc quelqu'un est convaincu de les avoir détruits ou d'avoir de n'importe quelle autre manière exhumé des corps ensevelis, ou d'avoir, dans un mauvais dessein, transféré le corps en d'autres lieux en faisant injure aux morts, ou d'avoir enlevé les inscriptions ou les pierres du tombeau, j'ordonne que celui-là soit mis en jugement comme si ce qui s'adresse au culte des hommes s'adressait aux dieux mêmes. En effet, il faudra honorer les morts bien davantage. Qu'il ne soit absolument permis à personne de les changer d'endroit. Sinon, je veux que le condamné pour violation de sépulture subisse la peine capitale ».

---

(1) *Revue biblique*, F.M. Abel, T. 39, 1930, pp. 568-570 et R. Tonneau, T. 40, 1931, pp. 544-564.

L'empereur Auguste s'était donné pour tâche de rétablir la religion de la Rome antique, et de l'étendre à tout
l'empire. Selon ces croyances, tout mort, dès son décès,
devient une sorte de dieu mineur, que l'on traite comme
tel. Un autel est construit devant la tombe, et un culte lui
est rendu. Le tombeau est tenu pour le temple du défunt,
et sa violation considérée comme un sacrilège. Même un
fils, dont le père est décédé en son absence, ne peut
transférer son père dans un tombeau différent si, à son
retour, il juge indigne la tombe paternelle. Alors que les
lois précédentes se bornaient à sanctionner par une
amende les pilleurs de sépultures, les nouvelles lois impo-
sées par Auguste punissent de mort toute atteinte à un
tombeau, même commise dans une bonne intention.

Ces lois ont été établies une trentaine d'années avant la
crucifixion du Christ. Ceux qui auraient retiré le corps du
Christ de son linceul l'auraient « *changé d'endroit* », suivant les termes du rescrit, et s'exposaient à une peine que
les Romains appliquaient avec brutalité et sans circonstance atténuante : «*Dura lex, sed lex*», disait l'un de leurs
principes juridiques : la loi est dure, mais c'est la loi. La
notion de circonstance atténuante est une notion
moderne que les Romains rejetaient explicitement.

Deuxième indice : les taches de sang.

Compte tenu de ces lois et de la manière dont elles
étaient appliquées, l'absence de métabolites de décomposition sur le linceul est un fait étonnant. Il y a cependant
quelque chose de beaucoup plus singulier encore sur le
Sindon. Il est possible à un homme résolu de violer les lois
civiles, même s'il risque la mort, mais il ne lui est pas
possible de violer les lois physiques. Il semble que le
Sindon porte les traces non seulement de la première
violation, mais aussi de la seconde.

Les taches de sang qui marquent le tissu sont parfaitement nettes, jusqu'aux plus petits détails, comme la
dépression au centre de chaque goutte. En regardant
celles de la face, on en voit plusieurs où le bord relevé a
environ deux millimètres de large, régulièrement sur tout
le pourtour. Compte tenu de la finesse du tissage, cela
implique que la précision du décalque est de l'ordre de
grandeur du demi-millimètre.

Paul Vignon a passé plusieurs mois à tenter d'obtenir des décalques de cette précision. Il n'y est pas parvenu (1). Pour approcher de la précision de l'image du Sindon, il faut des conditions très particulières. Tout d'abord, le sang doit être sec quand on applique le tissu, sans quoi l'étoffe fait buvard et les taches sont floues. D'ailleurs la dépression au centre des gouttes sur la face indique que ce sang était sec quand il a laissé son empreinte, car seules les gouttes sèches présentent cette dépression.

*
* *

Le sang sec, toutefois, ne laisse pas d'empreinte. Mais, sur un cadavre, après un certain temps, il se ramollit progressivement. Vignon n'a obtenu des décalques précis que lorsque la moitié de la fibrine, qui donne sa solidité au caillot, se trouve dissoute. Avant, le décalque n'est que partiel, ce qui donne des images en pointillé; après, le sang trop liquide imprègne largement le tissu par effet buvard. L'instant favorable est bref, car, quand le ramollissement est commencé, il est rapide. Il faut le saisir au vol, mais cela ne suffit pas. A ce stade, la moitié des fibres de fibrine sont accrochées au tissu. Si l'on tire trop fort, on le déchire. Si l'on ne tire pas assez fort, on ne parvient pas à le détacher. Si par un geste maladroit, on remet en contact le tissu et le corps, on fait apparaître une nouvelle tache qui brouille la première. Vignon est parvenu, après des mois de tentatives, a obtenir des décalques de la qualité de ceux du Sindon sur de petits carrés de cinq centimètres de côtés. Sur des surfaces plus grandes, il n'y est jamais parvenu. Quant à obtenir la perfection que l'on voit en chaque point du Sindon, sur une surface de cinq mètres carrés, sans un arrachement de tissu, sans une tache par un nouveau contact accidentel du tissu déjà décollé, sans une zone brouillée par un effet buvard en raison d'un contact trop prolongé et sans une zone mal reportée en raison d'un contact trop bref, ses essais le conduisent à dire que c'est impossible. Le décollement du

(1) Paul Vignon, Le Suaire devant la science, l'archéologie, l'histoire, l'iconographie, la logique, Paris, 1939.

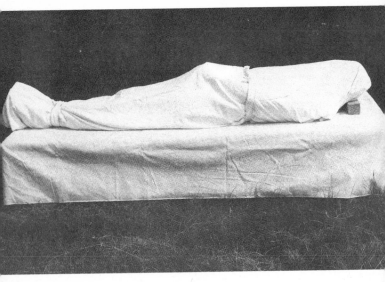

Linceul enveloppant un corps.

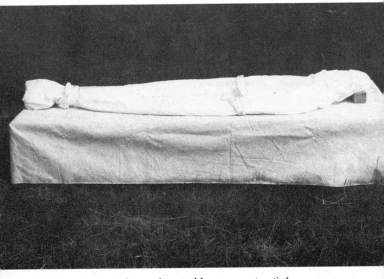

Linceul quand le corps est retiré.

corps s'est fait non seulement au bon moment, mais avec une délicatesse impossible à reproduire, même par un homme qui, à la suite de nombreux essais, sait exactement quelles erreurs il faut éviter.

Le texte des Evangiles.

Que disent les Evangiles sur cela? Le passage concerné est si difficile à traduire qu'une traduction fautive a été admise pendant dix-neuf siècles. Ce n'est qu'à notre époque que les méthodes de l'exégèse moderne ont permis de l'élucider. Elles consistent à prendre successivement chaque mot important du passage et à rechercher toutes ses occurrences dans les textes grecs de l'époque. Travail ardu, car la masse des textes grecs connus ne fournit, pour certains d'entre eux, notamment le verbe «entetuligmenon» qu'une demie-douzaine d'exemples d'utilisation. Cependant, cela suffit à préciser son sens. Les travaux ont été faits essentiellement par André Feuillet en France (1) mais aussi par D. Mollat, chargé de la dernière révision de la Bible de Jérusalem, par Linders et Morris en Angleterre, par Schnackenburg en Allemagne. Voici la traduction proposée par A. Feuillet :

*
* *

«*Le premier jour de la semaine, Marie de Magdala se rend de bonne heure au tombeau, alors qu'il faisait encore sombre, et elle voit que la pierre a été retirée du tombeau. Elle court alors trouver Simon-Pierre et l'autre disciple, celui que Jésus aimait et elle leur dit :* «*On a enlevé le Seigneur du tombeau et nous ne savons pas où on l'a mis*».

Pierre partit donc avec l'autre disciple et ils se rendirent au tombeau. Ils couraient tous deux. L'autre disciple, plus rapide que Pierre, le distance et arrive le premier au tombeau. Se penchant alors, il voit les linges posés là;

(1) Esprit et Vie, n° 18, 5 mai 1977, pp. 257-266.

cependant, il n'entre pas. Arrive donc Pierre qui le suivait, et il entre dans le tombeau. Il voit les linges présents et le soudarion qui avait été ajusté à sa tête non pas posé là comme les linges, mais distinctement enroulé à sa place. Alors entra à son tour l'autre disciple arrivé le premier au tombeau. Il vit et il crut. En effet, ils ne savaient pas encore l'Ecriture, à savoir qu'il fallait que Jésus ressuscite des morts» (Jean, 20, 1 à 9).

*
* *

Quelque chose, dans la disparition du Sindon, les a brusquement convaincus que le Christ était ressuscité. Ce ne peut être la simple absence du corps, car certaines personnes auraient pu l'enlever. C'est d'ailleurs la première idée qui vient à Marie de Magdala : «On a enlevé le Seigneur du tombeau et nous ne savons pas où on l'a mis», dit-elle à Pierre. Quelque chose pourtant dans la disposition du Sindon a obligé Jean à rejeter aussitôt cette idée et il «vit et il crut». Qu'a donc vu Jean ? Le mot à mot du texte l'indique, ce mot à mot qu'il a été si difficile de comprendre exactement.

Les Evangiles de Matthieu et de Marc désignent le linge dans lequel le Christ a été enveloppé par le mot Sindon. Luc emploie le mot Sindon lors de l'ensevelissement, et le mot othonia pour désigner ce que Pierre et Jean ont vu en arrivant au tombeau vide. Jean emploie le mot othonia. Ce dernier terme a longtemps été traduit par bandelettes, d'où les Thrènes, c'est-à-dire les scènes d'ensevelissement qui, avant le onzième siècle, représentaient le Christ entouré de bandelettes, comme une momie. Les recherches contextuelles conduisent aujourd'hui à penser que la traduction la plus correcte du terme othonia est «linges» au pluriel, et non au singulier, selon la version fautive admise si longtemps.

Sur ce point encore, le Sindon est en accord avec les conclusions des études modernes. Les symétries sur les taches de sang au niveau des pieds et des coudes impliquent l'existence de deux bandes de tissu qui serraient le Sindon contre le corps en ces endroits. De plus, l'absence d'image entre les deux images de face et de dos, là où l'on devrait s'attendre à trouver la trace laissée par le sommet du crâne, indique vraisemblablement que, selon une coutume répandue, une bande de tissu avait été enroulée autour du visage, de façon à maintenir la bouche fermée (voir page 91). Il y avait donc, en dehors du linceul, trois autres linges utilisés pour la sépulture.

Le terme «*soudarion*», utilisé par les Evangiles, qui désigne le linge placé autour de la tête du Christ, a également fait l'objet de recherches contextuelles. Il désigne une bande allongée plutôt qu'un mouchoir, comme on l'a longtemps cru. Le verbe «*entetuligmenon*», qui spécifie la position de ce linge par rapport à la tête, signifie «*enroulé*», ou «*placé entre les plis*». D'autres termes, «*choris*» utilisé comme adverbe, «*heis ena*», signifiant dans certains cas «*premier endroit*», etc., ont également été étudiés un par un à partir de contextes de l'époque. Le résultat de ces recherches est la traduction actuellement proposée :

«*Il voit les linges présents et le soudarion qui avait été ajusté à sa tête non pas posé là comme les linges, mais distinctement enroulé à sa place*».

Le Sindon se trouvait là où il avait été placé, mais affaissé, le corps n'étant plus là pour le soutenir. Le *soudarion* qui avait entouré la tête formait un cerceau entre la partie du Sindon qui avait été placée sous le corps et celle qui avait été placée au-dessus. Les linges se présentaient exactement comme ils avaient été disposés autour du corps, mais le corps n'y était plus. Il en était sorti sans déranger un seul pli, comme un rayon de soleil à travers un objet transparent. C'est en voyant cela que Jean croit, c'est-à-dire, d'après la phrase suivante, est brusquement convaincu que le Christ est ressuscité. (voir page 96).

Le texte des Evangiles peut se résumer ainsi : le Christ est sorti du linceul sans déranger un seul pli. Et le Sindon nous montre : sans arracher un seul fil, sans brouiller une seule tache. La disposition des linges convainquit Jean au premier coup d'œil qu'il était impossible de démailloter le corps pour l'emporter puis de redisposer les linges avec autant de précision dans la position qu'ils avaient lorsqu'ils furent placés autour du corps pour l'ensevelissement. Trois mois d'essais ont convaincu Vignon que la séparation du corps et du linceul n'a pu se faire comme la séparation matérielle de deux objets que l'on écarte l'un de l'autre.

Qu'en conclure? Concluez-vous même, lecteur. Je me borne à vous présenter les faits qui résultent de l'examen du Sindon et de la lecture des Évangiles.

LES PRINCIPAUX TRAVAUX SUR LE SINDON

Le Sindon et l'histoire.

Histoire du Sindon depuis 1204.	Legrand	France, 1938.
Documents historiques concernant le Sindon du IIe au XIIIe s.	Savio	Italie, 1957.
Iconographie du Sindon depuis le VIe siècle.	Vignon	France, 1939.

Le tissu.

Traces de coton moyen oriental	Raess	Belgique, 1974.
Pollens du Moyen-Orient.	Frei	Suisse, 1974.
Blanchiment par un procédé des premiers siècles de notre ère.	Rogers	Et.-Unis, 1980.

L'image.

Image en négatif.	Pia	Italie, 1898.
Image contenant des informations sur la troisième dimension.	Vignon	France, 1904.
Reconstruction en trois dimensions.	Gastineau	France, 1974.
Absence de fréquences spatiales préférentielles.	Lynn et Lorre	Et.-Unis, 1978.
Origine de la coloration.	Pellicori	Et.-Unis, 1980.
Identification du sang par la morphologie des taches.	Barbet	France, 1950.

Identification du sang par réflectrométrie.	Pellicori	Et.-Unis, 1980.
Identification du sang par microchimie.	Heller et Adler	Et.-Unis, 1980.
Répartition du fer sur le Sindon.	Morris Schwalbe London	Etats-Unis, 1980.

L'anthropologie.

Etude anthropologique.	Leroi-Gourhan	France, 1937.

La mort.

Etude chirurgicale des blessures	Barbet	France, 1935.
Expérimentation sur la position des clous.	Barbet	France, 1935.
Processus de la mort par crucifixion.	Hynek Legrand	Tchéc., 1933. France, 1952.

Les bourreaux.

Identification des fouets romains	Legrand	France, 1952.
Identification de la lancea.	Barbet	France, 1935.

L'homme du Sindon.

Législation romaine de la crucifixion.	Barbet	France, 1935.
Identification de la couronne d'épines.	Legrand	France, 1938.
Symbolique de la corona radiata	Legrand	France, 1980.
Symbolique de la barbe arrachée	Legrand	France, 1980.
Identification de l'onction.	Legrand	France, 1980.

La Résurrection.

Absence de métabolite de décomposition.	Frei	Suisse, 1980.
Législation d'Auguste sur les sépultures.	Tonneau	Jérus., 1931.
Expérimentation sur le transfert de caillots sur un tissu.	Vignon	France, 1939.

LA FOI

Des dizaines de chercheurs, souvent de haut niveau, ont consacré leur temps et leur talent à élucider les indications qu'offre le Sindon, un peu plus de trois millions de personnes ont fait la queue en moyenne deux à trois heures pour jeter un bref regard sur cette étoffe pendant les quarante-trois jours de l'ostension publique de 1978, un extraordinaire respect l'a entouré tout au long de l'histoire, même quand, faute des techniques et des connaissances modernes, son authenticité ne pouvait être démontrée. Toutes les images du Christ sont faites à sa ressemblance.

Pourquoi une telle autorité ? Il suffit de jeter un coup d'œil sur ce visage pour comprendre. Sa sérénité et sa majesté sont bouleversantes. Peut-on y reconnaître le Fils de Dieu ? Oui pour certains, dont le regard voit plus loin que le mien, mais pas pour tous. Honnêtement, je ne puis me satisfaire de cette déduction. Le Sindon prouve l'exactitude du récit évangélique de la Passion, et pose une question actuellement insoluble sur la manière dont le corps est sorti du linceul. Il en pose une autre, également irrésolue jusqu'ici, sur la manière dont s'est formée l'image. Pourquoi penser que la seconde question est par principe accessible à la recherche expérimentale et non la première ?

Il ne manque pas de réponses vraisemblables à cette question, mais pour engager sa vie sur un acte de foi, les réponses vraisemblables sont insuffisantes. Le Sindon pose une question, mais n'en donne pas la réponse.

*
* *

Qu'est-ce que la foi ? Lorsque j'ai essayé de réfléchir à cette question, il y a de cela bien des années, je me suis dit que si Dieu lui-même s'est incarné pour venir nous parler, c'est pour nous dire ce que nous n'aurions jamais pu comprendre seuls. Pourtant, la science moderne montre que, armés de leur seule intelligence, en conjuguant la réflexion des meilleurs esprits pendant des générations, les hommes peuvent comprendre bien des choses. La courbure de l'espace, la relativité du temps et beaucoup d'autres notions nous ont paru au début des scandales pour l'intelligence, mais, en fait, ces concepts restent dans le domaine que l'homme peut défricher par ses seules forces. Si Dieu s'est incarné, son message est nécessairement au-delà du domaine défrichable. On peut en conclure qu'un message venu de Dieu par le moyen extraordinaire d'une incarnation doit apparaître comme un scandale pour l'intelligence, et le rester, sans que nous puissions nous y accoutumer. Si le message est banal ou banalisable, il ne vient pas de Dieu.

La proposition ne peut être retournée. Un scandale pour l'intelligence n'est pas la preuve d'une origine surnaturelle, car n'importe quelle sottise est un scandale pour l'intelligence.

Pierre, d'après le récit évangélique, avait vu le Christ ressusciter des morts, purifier les lépreux, ouvrir les yeux des aveugles et les oreilles des sourds, marcher sur les eaux, calmer la tempête, multiplier les pains. Pourtant il est arrivé une chose étonnante : ce n'est pas à de tels signes, mais à ses paroles, que Pierre a reconnu dans Jésus de Nazareth le Christ de Dieu.

Cette réaction me va droit au cœur. Dieu ne peut s'être incarné pour retarder de quelques années la mort de Lazare, qui, après avoir été ressuscité, a bien dû mourir de nouveau un certain nombre d'années plus tard. Ces signes ne peuvent avoir d'autre objet principal que d'authentifier les paroles, qui seules sont décisives. Dans ce cas, c'est les paroles elles-mêmes qu'il faut juger, indépendamment des signes.

Certains vont-ils s'offusquer de ce que je veuille juger des paroles qui sont peut-être celles de Dieu Lui-même ? Mais comment saurais-je que ces paroles sont celles de Dieu si je ne les juge pas ? Et si c'est Dieu qui m'a donné le jugement, est-ce pour que je l'enterre ?

Qu'est venu dire le Christ ? D'abord un commandement nouveau. Non pas celui auquel tout le monde pense, *« Aimez-vous les uns les autres »*. Ce commandement est juif, il figure dans le Lévitique (19, 18). Un légiste, dans le but de confondre le Christ, lui avait demandé quel était le premier commandement de la loi juive. Il pensait l'entraîner dans une discussion sur les 613 règles de la loi, et l'emporter par sa connaissance supérieure des textes. Le Christ lui répondit en citant le Schéma Israël, la profession de foi juive : *« Tu aimeras Yahvé ton Dieu de tout ton cœur, de toute ton âme et de tout ton esprit : voilà le plus grand et le premier commandement. Le second lui est semblable : Tu aimeras ton prochain comme toi-même. A ces deux commandements se rattachent toute la Loi, ainsi que tous les prophètes »* (Matthieu, 22, 37 à 40).

Ce n'est pas pour cela que le Christ s'est incarné, car cela était déjà dit. Il est venu dire bien autre chose :

« Je vous donne un commandement nouveau :
aimez-vous les uns les autres.
Oui, comme je vous ai aimés,
vous aussi, aimez-vous les uns les autres.
A ceci tous vous reconnaîtrez pour mes disciples :
à cet amour que vous aurez les uns pour les autres ».
(Jean, 13, 43 et 35).

Le Christ dit cela après la Cène, alors qu'il s'apprêtait à donner sa vie, non pas seulement pour ses amis, mais pour tous les hommes, y compris ceux qui le crucifiaient.

Il ne s'agit plus d'aimer son prochain comme soi-même, mais beaucoup plus que soi-même, comme Dieu seul aime, au point de donner sa vie jusque pour ses ennemis.

Aimer de cette manière, cela est impossible aux humains. Afin que son commandement soit praticable, le Christ a rendu les hommes «*participant à la nature divine*». Il a établi pour cela l'Eucharistie :

> «*En vérité, en vérité, je vous le dis,
> si vous ne mangez la chair du Fils de l'homme
> et ne buvez son sang,
> vous n'aurez pas la vie en vous.
> Qui mange ma chair et boit mon sang a la vie éternelle
> et je le ressusciterai au dernier jour.
> Car ma chair est vraiment une nourriture
> et mon sang vraiment une boisson*».

(Jean, 6, 53 à 55).

Scandalisés par ces paroles, ceux qui écoutaient le Christ se dispersèrent. Les apôtres restèrent, complètement désorientés. Jésus leur dit «*Voulez-vous partir, vous aussi ?*». Au nom des douze, Pierre répondit : «*Seigneur, à qui irions-nous ? Tu as les paroles de la vie éternelle*». Les paroles, et non les signes.

*
* *

Quelles paroles ? Nous nous représentons spontanément Dieu selon l'image que s'en sont faite les philosophes, comme le Tout Puissant, Créateur du ciel et de la terre. Celui qui a lancé les galaxies par milliards et les étoiles par milliards de milliards. Celui qui a l'univers entier à son service. Ce n'est pas du tout ce que vient dire le Christ : «*Je suis au milieu de vous comme celui qui sert*» (Luc, 22, 27). Ahuris, les apôtres n'y comprennent rien. Le Dieu Tout Puissant est venu pour être leur serviteur ? Le Christ se lève de table avant le dernier repas, ôte son manteau, met un tablier, verse de l'eau dans un bassin et lave les pieds de ses disciples. Il se comporte à leur égard comme le plus humble des serviteurs, celui qui attend à la porte et qui lave les pieds des invités.

Dans l'Apocalypse, Dieu est à la porte de l'homme et frappe pour demander la permission d'entrer. Lui, il demande la permission !

« *Voici que je me tiens à la porte et je frappe; si quelqu'un entend ma voix et ouvre la porte, j'entrerai chez lui pour souper, moi près de lui et lui près de moi* » (Apocalypse 3, 20).

Que Dieu puisse demander à l'homme la permission d'être son serviteur, non, cela n'est pas une idée qui puisse venir aux hommes. Cette idée-là est un scandale pour l'intelligence humaine, et, après deux mille ans, elle le reste. Concevoir Dieu comme le Tout Puissant est du domaine défrichable par la raison humaine, mais le concevoir comme le Très humble est au-delà. Que Dieu demande à l'homme la permission d'entrer en son esprit, et aille jusqu'à la croix pour le demander, quel philosophe l'aurait imaginé ?

Lorsque la porte lui est ouverte, il entre pour purifier ce qui est corrompu, laver ce qui est sali, redresser ce qui est faussé, rafraîchir ce qui est désséché, réparer ce qui est brisé, ranimer ce qui est mort. C'est pour lui donner la vie qu'il vient servir l'homme, et pour la lui donner en abondance et en surabondance.

* * *

Pour Pierre, qui avait vu beaucoup de signes, ou pour Thomas, qui avait eu besoin de la certitude de la résurrection jusqu'à mettre ses doigts dans les plaies, ou pour d'autres qui se sont contentés de signes plus communs, de toute façon l'assertion « *Le Christ est Seigneur* » ne vient pas de la chair ni du sang ni de l'analyse du monde matériel, ni de la raison, mais de l'Esprit Saint :

« *Ce qui est né de la chair est chair,
ce qui est né de l'esprit est esprit* » (Jean, 3, 6).

Tout signe appartient au monde, il est chair, mais reconnaître le Fils de Dieu Vivant dans Jésus de Nazareth procède de l'Esprit. Le signe, petit ou grand, n'est qu'une raison d'ouvrir la porte de son esprit. Est-ce difficile ? Non, bien sûr, car avant même qu'on ne le tente, le Père est déjà à l'œuvre pour nous aider :

> *«Nul ne peut venir à moi*
> *si le Père qui m'a envoyé ne l'attire»* (Jean, 6, 44).

Etre à la porte et frapper, ou attirer les hommes, c'est la même image. Sans relâche, d'instant en instant, Dieu, Père, Fils et Esprit est devant la porte intérieure de chaque homme et propose la Vie. Il ne l'impose pas : l'amour s'offre et se donne, mais ne peut se prendre ou s'ordonner. Chaque homme est libre, de refuser comme d'accueillir et Dieu Lui-même, humble comme personne ne l'a jamais été, attend, plein d'espoir. L'univers contient probablement plus de milliards de planètes pensantes qu'il n'y a d'hommes sur terre, et pourtant Dieu se soucie de chacun, il nous fait le don merveilleux d'avoir soif de l'amour de chacun d'entre nous, de crier devant notre porte et de mendier notre amour, car chacun, nous sommes son unique enfant. C'est Lui, l'Eternel, qui demeure dans la lumière incorruptible, qui vient crier et mendier à notre porte !

*
* *

Ouvrir sa porte, c'est le plus simple des gestes de l'esprit. Il suffit d'aimer ses frères et de prier : la prière, est le don de l'esprit. Nul ne prie, mais c'est l'Esprit qui prie en l'homme, si l'homme le lui permet. Charles de Foucauld, au bord de la conversion, tentant de prier sans savoir comment, ni être bien sûr que Dieu existe, disait simplement : «*Si Vous existez, manifestez-Vous*». Nul n'a à attendre bien longtemps s'il essaie de bonne foi. La mystérieuse plénitude de la prière est là, soudain, et nul ne sait d'où elle est venue. Celui qui la reçoit douterait plutôt de sa propre existence que du don reçu. Et quant à croire que c'est une sorte d'état psychologique, seuls peuvent le dire ceux qui ne l'ont point connu. C'est là une hypothèse apparemment logique, mais que la première expérience annule. Et supposer que celui qui tente de tout son cœur de prier ne reçoit pas la plénitude de l'Esprit, «*en énigme et en miroir*», certes, mais de manière à rendre la confusion impossible, il faut n'avoir pas essayé pour le penser.

> *«En vérité, en vérité, je vous le dis,*
> *ce que vous demanderez au Père,*
> *Il vous le donnera en mon nom.*
> *Jusqu'ici, vous n'avez rien demandé en mon nom.*

Demandez, et vous recevrez,
et votre joie sera parfaite » (Jean, 16, 23 et 24).

Le prestige immense du Sindon à travers l'histoire vient de ce qu'il est un signe par lequel beaucoup, comme Jean, viennent à la foi, ou voient leur foi croître. L'éclair de compréhension qui illumina l'esprit de Jean — *« il vit et il crut »* — pourrait faire croire que la foi est affaire de tout ou rien. Ce n'est que bien rarement cela. Elle croît avec des temps forts et des temps faibles, elle reste parfois longtemps inconsciente avant de déboucher, brusquement ou progressivement, dans la lumière de la conscience, et elle peut toujours continuer à croître. *« Les apôtres dirent au Seigneur : augmente en nous la foi »* (Luc, 12, 5). La foi n'est pas une croyance, c'est une confiance et une humilité. L'une ne va pas sans l'autre. Pierre fut la roche sur laquelle l'Eglise fut bâtie parce qu'il fut dès le début le plus confiant et le plus humble. Voici le récit de sa première rencontre avec le Christ :

« Or, un jour que pressé par la foule qui écoutait la parole de Dieu, il se tenait sur les bords du lac de Génnésareth, il vit deux barques arrêtées sur les bords du lac; les pêcheurs étaient descendus et lavaient leurs filets. Il monta dans l'une des barques qui était à Simon et pria celui-ci de s'éloigner un peu du rivage, puis, s'asseyant, de la barque, il enseignait les foules.

Quand il eut fini de parler, il dit à Simon : « Avance en eau profonde et lâchez vos filets pour la pêche ». Simon répondit : « Maître, nous avons peiné toute une nuit sans rien prendre, mais sur ta parole, je vais lâcher les filets ». L'ayant donc fait, ils prirent une grande quantité de poissons, et leurs filets se rompaient. Ils firent signe alors à leurs associés qui étaient dans l'autre barque de venir à leur aide. Ceux-ci vinrent, et on remplit les deux barques au point qu'elles enfonçaient. A cette vue, Simon Pierre tomba aux genoux de Jésus en disant : Eloigne-toi de moi, Seigneur, car je suis un pécheur » (Luc, 5, 1 à 8).

*
* *

La confiance et l'humilité de Pierre sont la porte de la prière. Il n'y a rien de compliqué ou de difficile à comprendre. C'est infiniment simple, comme l'amour :

«A cette heure même, il tressaillit de joie sous l'action de l'Esprit Saint et dit : «Je te bénis, Père, Seigneur du ciel et de la terre, d'avoir caché cela aux sages et aux habiles et de l'avoir révélé aux touts petits» (Luc, 10, 21).

Quelques sots, dès le début de l'Eglise, et souvent après, ont confondu cet appel à la simplicité de cœur avec une incitation à l'infantilisme : il n'est pire sourd que celui qui ne veut pas entendre. Saint Paul avait été obligé de préciser «Soyez enfant quant à la malice, mais homme fait quant au jugement».

D'où vient cette confiance simple, qui ouvre la porte de l'esprit ? Elle est plus facile quand quelque signe montre l'existence cachée d'une autre dimension du réel. «Jésus dit : «Si vous ne voyez signes et miracles, vous ne croirez donc pas !» (Jean, 4, 48). La déception du Christ éclate devant ces cœurs de pierre incapables de comprendre par ses seules paroles, et pourtant elles suffisaient à d'autres. Pas seulement à Pierre, mais aussi aux gardes du temple, qui étaient des «petits» doués d'une vision spirituelle claire, alors que les notables et les pharisiens étaient des «sages et des habiles», aveugles.

«Les gardes revinrent trouver les grands prêtres et les pharisiens, Ceux-ci leur dirent : «Pourquoi ne l'avez-vous pas amené ?». Les gardes répondirent : «Jamais homme n'a parlé comme cet homme !» Les pharisiens leur répliquèrent : «Vous vous y êtes donc laissés prendre, vous aussi ! Est-il un seul des notables qui ait cru en lui ou un seul des pharisiens ?» (Jean, 7, 45 à 48).

Les paroles du Christ sont toujours à notre disposition, mais nous sommes plus souvent semblables à Jean qui eut besoin d'un petit signe, — le Sindon vide — ou de Thomas, qui en voulut un grand, qu'aux gardes du temple ou à Pierre qui surent voir la lumière du monde dans les paroles du Christ. Pourtant cela nous est plus facile qu'à eux, car, en acceptant la croix, le Christ a rendu possible la venue de l'Esprit dans le monde :

«Maintenant, je vais à Celui qui m'a envoyé et aucun de vous ne me demande : «Où vas-tu ?» Mais parce que je vous ai dit cela, la tristesse remplit vos cœurs. Pourtant je vous dis la vérité : il vaut mieux pour vous que je parte;

car si je ne pars pas, le Paraclet ne viendra pas à vous; mais si je pars, je vous l'enverrai... J'ai encore beaucoup de choses à vous dire, mais vous ne pouvez les porter maintenant. Quand il viendra, lui, l'Esprit de vérité, il vous conduira vers la vérité tout entière» (Jean, 16, 5 à 7 et 12 et 13).

*
* *

Je sais par expérience que ces paroles sont véridiques. Il y a bien longtemps, je suis allé passer quelques jours dans un monastère de trappistes. Je ne voulais qu'un endroit tranquille pour réfléchir. J'ai frappé à la porte, et, avec la brutalité dont j'étais coutumier à l'époque, j'ai demandé à être accueilli quelques jours; j'ai prévenu que si quelqu'un essayait de me convertir, je partirais dans l'instant. Le moine portier m'a offert une cellule, m'a indiqué les heures des repas et m'a laissé. Après plusieurs jours, il est venu frapper à ma porte et m'a demandé si je l'autorisais à me parler quelques minutes. Avec une grossièreté dont je rougis, je lui en ai donné cinq. Il a proposé de m'indiquer où se trouvait la porte que je cherchais manifestement au mauvais endroit. Je lui ai répondu qu'il pouvait dire ce qui lui convenait pendant cinq minutes. Il m'a demandé si j'étais baptisé, et sur la réponse affirmative, m'a proposé l'Eucharistie. Je lui ai répondu que je n'y croyais pas et que sa proposition me semblait être, de son propre point de vue, un sacrilège. Il m'a dit que l'Eucharistie est faite pour les hommes, qu'il prenait sur lui le sacrilège s'il y en avait un, et que ma présence depuis plusieurs jours lui paraissait un indice de sincérité suffisant. J'ai refusé ce qui me paraissait n'avoir aucun sens. Il m'a demandé si j'avais une formation scientifique, et m'a fait observer que de mon propre point de vue, le seul jugement valable devait se fonder sur l'expérimentation. Cela m'a décidé.

Le lendemain matin, j'allai à la messe, je reçus l'Eucharistie et je repartis comme j'étais venu.

La règle trappiste interdit l'église aux visiteurs, mais une tribune leur est ouverte. J'y allais parfois entendre les chants grégoriens dont les lentes et splendides mélodies me plaisaient. Deux jours plus tard, alors que je m'y trouvais seul, j'ai eu soudain le sentiment d'une présence. Une présence nue, sans rien qui la particularisait, mais irrécusable. Je me suis demandé si une instance inconsciente se manifestait sous cette forme, ou ce qui se produisait, mais je savais en toute certitude que c'était Dieu qui approchait, «*en énigme et en miroir*».

*
* *

C'est une expérience banale. Je connais des dizaines de personnes qui en ont connu de semblables. Le moine qui m'avait accueilli, le père Fernand, m'a dit plus tard qu'il avait fait cette rencontre de Dieu à l'âge de six ans, et m'a cité une parabole du Royaume : «*Le Royaume des Cieux est semblable à un trésor qui était caché dans un champ et qu'un homme vient à trouver : il le recache et s'en va, ravi de joie, vendre tout ce qu'il possède et achète ce champ*» (Matthieu, 13, 44). C'est à six ans que le père Fernand avait découvert le «*champ au trésor*», et c'est après avoir trouvé, et non avant, qu'il a donné tout ce qu'il possédait, sa vie même, offerte tout entière dans la consécration monastique. Depuis, sa demeure est établie dans le champ au trésor. Charles de Foucauld, qui avait demandé «*Si Vous existez, manifestez-Vous*», a fait cette même rencontre, puisqu'après avoir ainsi prié, il a aussi consacré sa vie à Dieu.

C'est sur cette rencontre, renouvelée d'innombrables millions de fois à travers les siècles, que l'Eglise est bâtie, et c'est par elle qu'elle dure. Ce n'est pas son organisation qui n'a pas toujours été exemplaire, ni les hommes qui l'ont composée, qui lui ont permis de traverser les siècles et les millénaires. Ce n'est pas non plus le seul texte de l'Evangile, que les sages et les habiles auraient depuis longtemps noyé sous leur glose, qui explique cette pérénité. C'est l'Esprit Saint, qui renouvelle l'organisation visible et éclaire le texte pour ceux qui le lisent en esprit de prière.

Cet Esprit Saint, vous pouvez le rencontrer tout de suite. C'est Lui qui vous attend, et qui s'est mis à votre disposition avant même que vous ne naissiez.

*
* *

S'il est facile de Le rencontrer, il est aussi facile de rater la rencontre. Il suffit de s'y prendre comme « *un sage et un habile* », c'est-à-dire avec arrogance d'esprit, en s'imaginant, tels les bâtisseurs de la tour de Babel, que l'on peut atteindre des Cieux avec ses seules forces. En procédant ainsi, j'ai perdu des années à tâtonner devant la muraille sans trouver la poignée de la porte. Le Père Fernand l'avait compris au premier coup d'œil, et avait suggéré l'Eucharistie parce que le Christ a laissé son corps aux hommes comme nourriture pour guérir et sauver ceux qui en ont besoin, c'est-à-dire tous. Il pensait que cette plaie de l'esprit, l'arrogance intellectuelle, serait suffisamment cicatrisée même par une seule communion pour que je puisse trouver la porte.

Le Christ a dit : « *Je suis anaw* ». Au sens littéral, ce mot araméen signifie pauvre. Pour rendre ses connotations, les traducteurs ont eu recours à une périphrase, « *doux et humble de cœur* ». Simple de cœur, pauvre en esprit, semblable à un enfant, doux et humble de cœur, toutes ces expressions désignent la même attitude mentale. Vous avez aimé quelqu'un, ami ou amie, femme ou mari, votre enfant. Cette personne vient vers vous, vous tendez les bras pour l'accueillir : c'est le geste de la prière. Tendez ainsi les bras vers le Christ : Il sera là.

L'attitude d'esprit qui seule ouvre la porte à Dieu ne vient pas de quelque condition plus ou moins arbitraire que Dieu aurait imposée par une sorte de caprice. C'est la nature de l'être : Dieu ne force pas la porte parce que l'homme cesserait d'être libre. Malgré toute sa puissance Il ne peut que crier et supplier devant la porte de l'homme, Il ne peut que S'incarner et venir mourir en croix, Il ne peut que laisser Son corps et Son sang, mais Il ne peut contraindre ceux qu'Il a créés libres sans détruire leur liberté, c'est-à-dire leur être même. Lui qui est Amour ne peut rencontrer l'homme que si la porte de l'amour est ouverte. On peut singer les gestes physiques et les paroles de l'amour, on ne peut singer l'attitude d'esprit devant Celui qui est la Vérité. L'attitude mentale de la prière est celle de l'amour simplement parce que Dieu est amour. Il n'y a pas là de condition limitative, il n'y a que la nature même de l'être.

*
* *

Je ne cherche pas à vous convertir. Tous les arguments que je pourrais produire ne viendraient que de la chair et du sang, comme le disait le Christ à Pierre, et cela ne sert à rien, car ce qui est né de la chair est chair. La conviction peut naître des arguments, mais non la foi. La foi est esprit, elle ne peut naître que de l'esprit. Seul l'Esprit Saint peut vous donner la foi, si vous l'y autorisez.

Le Sindon est un signe, plus probant au vingtième siècle, après avoir été passé au crible de toutes nos techniques scientifiques, qu'aux époques précédentes où ceux qui le regardaient ne pouvaient fonder leur confiance que sur une tradition historique et surtout sur la paix surnaturelle de ce visage. Le Sindon est un signe, mais s'il reste un signe, sans devenir une révélation, il est perdu pour vous. La paix de ce visage, ce n'est pas celle d'un homme, même extraordinaire. C'est celle dont le Christ a dit :

« *Je vous laisse la paix,*
je vous donne la paix.
Je ne vous la donne pas comme le monde la donne »

(Jean, 14, 27)

Regardez ce visage et priez. Maintenant. Le Christ est à votre porte, Il frappe, Il vous attend, Il vous espère, pour vous donner la plénitude de sa Vie, en esprit et en vérité.

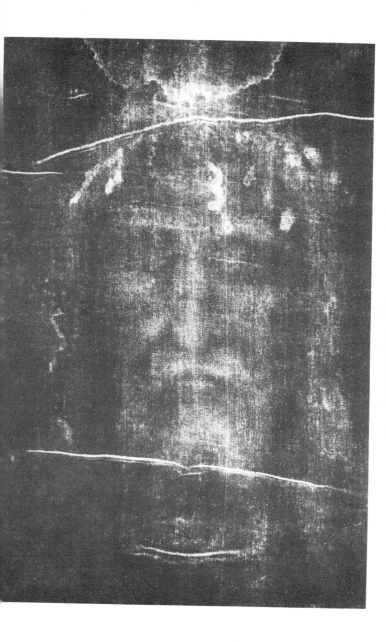

PLAN DE RÉFLEXION

PLAN DES ILLUSTRATIONS

L'Association «Montre-nous Ton Visage» a été fondée en France en 1981. Elle a pour but de faire connaître le Linceul de Turin dans toutes ses dimensions, scientifiques et religieuses.

Elle a réalisé une exposition itinérante qui circule à travers les villes de France depuis mars 1982. Cette exposition est prêtée gratuitement.

L'Association diffuse également des brochures et audio-visuels.

Son adresse : Montre-nous Ton Visage, 1, rue de Staël, 75015 Paris.

Achevé d'imprimer
sur les presses
de l'imprimerie SITOL-GUIBERT
240, Route d'Olonne
85340 Olonne sur Mer.

Dépôt légal : 2e trimestre 1986
Avril 1986
N° d'impression : 646.